Cambiamen

Una breve introduzione al riscaldamento globale -2021

Introduzione

Il cambiamento climatico sta colpendo ogni paese di ogni continente. Sta sconvolgendo le economie nazionali e influenzando le vite. I modelli meteorologici stanno cambiando, il livello del mare si sta alzando e gli eventi meteorologici stanno diventando più estremi.

Anche se si prevede che le emissioni di gas serra scendano di circa il 6% nel 2020 a causa dei divieti di viaggio e dei rallentamenti economici derivanti dalla pandemia COVID-19, questo miglioramento è solo temporaneo. Il cambiamento climatico non è in pausa. Una volta che l'economia globale inizierà a riprendersi dalla pandemia, ci si aspetta che le emissioni tornino a livelli più alti.

Salvare vite e mezzi di sussistenza richiede un'azione urgente per affrontare sia la pandemia che l'emergenza climatica.

Questa è l'introduzione descrittiva al cambiamento climatico.

Tabella dei contenuti

Goditi tutti i nostri libri gratis...

Biografie interessanti, introduzioni accattivanti e altro ancora.

Unisciti all'esclusivo club dei recensori della United Library!

Riceverai un nuovo libro nella tua casella di posta ogni venerdì.

Unisciti a noi oggi, vai su: https://campsite.bio/unitedlibrary

Riscaldamento globale

L'attuale **riscaldamento globale** o **riscaldamento globale** è l'aumento della temperatura media dell'atmosfera terrestre vicina e degli oceani dall'inizio dell'industrializzazione. Si tratta di un cambiamento climatico antropogenico (= prodotto dall'uomo), poiché è dovuto principalmente alle attività industriali, forestali e agricole che emettono gas serra.

In contrasto con il meteo, che descrive le condizioni attuali a breve termine dell'atmosfera, i valori medi sono raccolti su lunghi periodi di tempo per quanto riguarda il clima. Di solito si considerano periodi normali di 30 anni. Secondo l'Intergovernmental Panel on Climate Change (IPCC), l'aumento della temperatura dall'epoca preindustriale fino al 2017 è stato di circa 1 °C. Con differenze minime di temperatura, il 2020 e il 2016 sono stati i due anni più caldi dall'inizio delle misurazioni sistematiche nel 1880. Il 2016 è stato circa 1,1 °C più caldo rispetto all'epoca preindustriale. Secondo la ricerca attuale, l'ultima volta è stato così caldo alla fine del periodo caldo eemiano 115.000 anni fa. I 20 anni più caldi misurati sono negli ultimi 22 anni (a partire dal 2018) e i cinque anni più caldi, in ordine decrescente, sono stati 2016, 2019, 2015, 2017 e 2018.

Il tasso di riscaldamento è accelerato: Il tasso di aumento calcolato negli anni dal 1956 al 2005 è stato di 0,13 ± 0,03 °C per decennio, quasi il doppio del tasso calcolato negli anni dal 1906 al 2005.Secondo l'IPCC, il riscaldamento globale indotto dall'uomo ha raggiunto 1 °C nel 2017, quando il tasso di aumento era di circa 0,2 °C per decennio. Il riscaldamento si è verificato molto più velocemente di qualsiasi periodo di riscaldamento conosciuto nell'era moderna della Terra, cioè per 66 milioni di anni. Così, durante la transizione da un'era glaciale a un periodo interglaciale, la Terra si riscalda di circa 4 o 5 °C in circa 10.000 anni. Nel caso di un riscaldamento globale causato dall'uomo, senza misure di protezione del clima più severe, ci si aspetta che la temperatura aumenti di 4 o 5 °C dalla fine del XX alla fine del XXI secolo; il riscaldamento sarebbe quindi circa 100 volte più veloce che nel caso di cambiamenti climatici naturali storici.

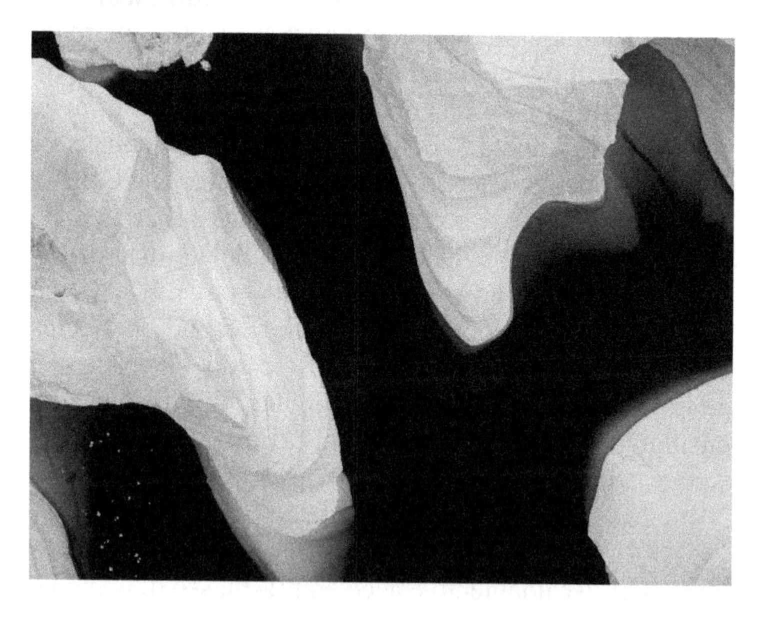

La causa del riscaldamento è il continuo arricchimento antropogenico dell'atmosfera terrestre con gas serra, in particolare anidride carbonica (CO_2), metano e protossido di azoto, che vengono rilasciati principalmente attraverso la combustione di energia fossile, la deforestazione, l'agricoltura e soprattutto l'allevamento. Questo aumenta la capacità di ritenzione della radiazione termica infrarossa nella troposfera, il che intensifica l'effetto serra. Il gas serra più importante nell'attuale riscaldamento globale è il CO_2. Nel 2015, la concentrazione media di CO_2 nell'atmosfera terrestre misurata dalla stazione di monitoraggio di Mauna Loa è salita per la prima volta sopra le 400 ppm; prima dell'industrializzazione, era di circa 280 ppm. L'IPCC ha scritto nel suo quinto rapporto di valutazione del 2015 che è estremamente probabile che l'uomo abbia causato più del 50% del riscaldamento osservato dal 1951 al 2010. La stima migliore è che il contributo umano al riscaldamento durante questo periodo sia circa il 100%. Questi valori sono supportati da altri rapporti sullo stato dell'arte. Senza l'attuale influenza umana sul sistema climatico, la leggera tendenza al raffreddamento che ha prevalso per diversi millenni continuerebbe molto probabilmente.

L'effetto serra atmosferico è stato descritto per la prima volta da Joseph Fourier nel 1824, con ulteriori ricerche iniziate negli anni 1850. Nel 1896, il chimico e fisico Svante Arrhenius predisse il riscaldamento globale dovuto alla quantità di CO_2 emessa dagli esseri umani. Nel 1938, Guy Stewart Callendar riuscì a provare il riscaldamento globale per la prima volta basandosi sulle misurazioni della temperatura. Dopo la seconda guerra mondiale, l'argomento divenne sempre più al centro dell'attenzione scientifica. Nel 1957, i ricercatori Roger Revelle e Hans E. Suess parlarono di un gigantesco (*su larga scala*) "esperimento geofisico". A partire dagli anni '60 circa, a livello internazionale si sono svolte discussioni sul tema del cambiamento climatico antropogenico. Nathaniel Rich, nel suo libro del 2019

Losing Earth, ha dettagliato quanto si sapeva del riscaldamento globale e delle sue conseguenze già negli anni '80. Dai primi anni '90 circa, c'è stato un consenso scientifico sul fatto che il riscaldamento globale misurato dal 1850 circa è causato dall'uomo.

Secondo la ricerca sul clima, le conseguenze previste del riscaldamento globale, alcune delle quali sono già state osservate, includono, a seconda della regione della terra: lo scioglimento dei ghiacci marini e dei ghiacciai, un aumento del livello del mare, lo scongelamento dei terreni permafrost con il rilascio di idrato di metano, l'aumento delle zone di siccità e l'aumento degli estremi meteorologici con corrispondenti ripercussioni sulla situazione di vita e sopravvivenza degli uomini e degli animali (estinzione delle specie). La portata delle conseguenze dipende dal livello e dalla durata del riscaldamento. Alcune conseguenze possono anche essere irreversibili o agire come elementi di ribaltamento nel sistema terrestre, accelerando il riscaldamento globale con un feedback positivo, come il rilascio del gas serra metano dai terreni permafrost scongelati.

Al fine di mitigare le conseguenze del riscaldamento globale per gli esseri umani e l'ambiente, la politica climatica nazionale e internazionale mira sia a fermare il cambiamento climatico attraverso la protezione del clima sia ad adattarsi al riscaldamento già avvenuto. Per poter fermare il riscaldamento globale causato dall'uomo, si devono evitare completamente ulteriori emissioni di gas serra legate all'energia e le emissioni introdotte nell'atmosfera dall'inizio dell'industrializzazione, così come le emissioni che non possono essere evitate da ora in poi a causa delle emissioni negative di gas serra, devono essere completamente invertite per mezzo di tecnologie adeguate come BECCS, DACCS o il sequestro del carbonio nel suolo. A partire dal 2016, circa 2/3 del budget di CO_2 delle emissioni massime possibili per l'obiettivo dei due gradi concordato nell'accordo di Parigi è già stato esaurito, quindi le emissioni globali dovrebbero essere ridotte rapidamente se l'obiettivo deve ancora essere raggiunto. È possibile che l'obiettivo dei due gradi non sia abbastanza ambizioso per prevenire, a lungo termine, uno stato del sistema climatico noto come Terra a effetto serra, che porterebbe a condizioni ostili sulla Terra.

Basi fisiche

Dalla rivoluzione industriale, gli esseri umani hanno amplificato l'effetto serra naturale emettendo gas serra, come è stato dimostrato metrologicamente. Dal 1990, il forcing radiativo - cioè l'effetto di riscaldamento sul clima - da parte dei gas serra a lunga vita è aumentato del 43%. Il consenso in climatologia oggi è che l'aumento della concentrazione di gas serra rilasciati dall'uomo nell'atmosfera terrestre è molto probabilmente la causa più importante del riscaldamento globale, poiché senza di essa le temperature misurate non possono essere spiegate.

I gas a effetto serra permettono alle radiazioni a onde corte provenienti dal sole di passare sulla terra in gran parte senza ostacoli, ma assorbono gran parte della radiazione infrarossa emessa dalla terra. Di conseguenza, si riscaldano ed emettono essi stessi radiazioni nella gamma delle onde lunghe (cfr. legge di Kirchhoff sulla radiazione). La parte di radiazione diretta verso la superficie terrestre è chiamata contro-radiazione atmosferica. Nel caso isotropo, metà dell'energia assorbita è irradiata verso la terra e metà verso lo spazio. Di conseguenza, la superficie terrestre si riscalda di più di quanto farebbe se fosse la sola radiazione ad onde corte del sole a riscaldarla. L'IPCC stima il livello di comprensione scientifica dell'effetto dei gas serra come "alto".

Il gas serra vapore acqueo (H2O) contribuisce dal 36 al 66%, l'anidride carbonica (CO_2) dal 9 al 26% e il metano dal 4 al 9% all'effetto serra naturale. L'ampia gamma può essere spiegata come segue: Da un lato, ci sono grandi variazioni nella concentrazione di questi gas, sia localmente che nel tempo. Dall'altro, i loro spettri di assorbimento si sovrappongono. Per esempio, la radiazione che è già stata assorbita dal vapore acqueo non può più essere assorbita dalla CO_2. Ciò significa che in un ambiente come una terra coperta di ghiaccio o un deserto secco, dove il vapore acqueo contribuisce poco all'effetto serra, i restanti gas serra contribuiscono di più all'effetto serra totale rispetto ai tropici umidi.

Poiché i gas serra menzionati sono componenti naturali dell'atmosfera, l'aumento di temperatura che causano è chiamato *effetto serra naturale*. L'effetto serra naturale fa sì che la temperatura media della Terra sia di circa +14 °C. Senza l'effetto serra naturale, sarebbe di circa -18 °C. Questi sono valori calcolati (vedi anche Modello della serra idealizzata). In letteratura, questi valori possono differire leggermente, a seconda dell'approccio di calcolo e delle ipotesi sottostanti, per esempio la riflettività *(albedo) della* Terra. Questi valori servono come prova che c'è un effetto serra naturale, poiché senza di esso la temperatura dovrebbe essere corrispondentemente molto più bassa e la temperatura più alta può essere spiegata dall'effetto serra. Deviazioni di pochi gradi Celsius non giocano un ruolo significativo in questa prova.

Cause del riscaldamento globale causato dall'uomo

Il riscaldamento globale attualmente osservato è dovuto quasi interamente alle attività umane. Il probabile contributo umano al riscaldamento del periodo 1951-2010 è almeno del 93% e potrebbe arrivare al 123%, cioè più del 100%, possibile compensando vari fattori di raffreddamento. La causa principale è la crescente concentrazione di gas serra nell'atmosfera terrestre dovuta alle attività umane. Nel quinto rapporto di valutazione dell'IPCC, la forzatura radiativa aggiuntiva risultante nel 2011 rispetto all'anno di riferimento 1750 è quantificata in 2,3 W/m^2 netti (cioè dopo aver dedotto anche gli effetti di raffreddamento, per esempio dagli aerosol). Grossomodo, tutti i gas serra a lunga vita hanno causato un forcing radiativo di 2,83 W/m^2. Il gas serra più importante era il CO_2 con 1,82 W/m^2, seguito dal metano con 0,48 W/m^2. Gli idrocarburi alogenati hanno causato un forcing radiativo di 0,36 W/m^2, il protossido di azoto 0,17 W/m^2. Tra i gas serra a vita breve, l'ozono, la cui formazione è stimolata da ossidi di azoto, monossido di carbonio o idrocarburi, ha il più alto forcing radiativo con 0,4 W/m^2. Gli aerosol causano un forcing radiativo negativo (cioè di raffreddamento) di -0,9 W/m^2.

Al contrario, i cambiamenti nell'attività solare naturale sono un fattore insignificante nel riscaldamento globale attualmente osservato. Durante lo stesso periodo, l'attività solare ha rappresentato un forcing radiativo di soli 0,1 W/m^2; dalla metà del XX secolo, l'attività solare è addirittura diminuita.

Aumento della concentrazione dei più importanti gas a effetto serra

La proporzione di tutti e quattro i componenti dell'effetto serra naturale nell'atmosfera è aumentata dall'inizio della rivoluzione industriale. Il tasso di aumento della concentrazione è il più veloce degli ultimi 22.000 anni.

La concentrazione di CO_2 nell'atmosfera terrestre è aumentata del 40% da circa 280 ppmV a circa 400 ppmV (parti per milione, parti per milione di frazione di volume) nel 2015, principalmente a causa dell'uso di energia fossile, dell'industria del cemento e della deforestazione su larga scala dall'inizio dell'industrializzazione. Durante gli ultimi 14 milioni di anni (dal Miocene medio), non esistevano livelli di CO_2 significativamente più alti di quelli attuali. Secondo le misurazioni delle carote di ghiaccio, le concentrazioni di CO_2 non hanno mai superato i 300 ppmV negli ultimi 800.000 anni. Circa 100 milioni di tonnellate di anidride carbonica sono rilasciate nell'atmosfera ogni giorno dalle attività umane (a partire dal 2020).

La frazione di volume del metano è aumentata da 730 ppbV nel 1750 a 1.800 ppbV (parti per miliardo, frazione di volume) nel 2011. Questo è un aumento del 150% e, come per il CO_2, il livello più alto in almeno 800.000 anni. Il bestiame è attualmente considerato la causa principale, seguito da altre attività agricole come la coltivazione del riso. Il potenziale di riscaldamento globale di 1 kg di metano è 25 volte superiore a quello di 1 kg di CO_2 in un periodo di 100 anni. Secondo uno studio recente, questo fattore arriva a 33 se si tiene conto delle interazioni con gli aerosol atmosferici. Tuttavia, in un'atmosfera ossigenata, il metano viene ossidato, soprattutto dai radicali idrossili. Una volta che una molecola di metano è entrata nell'atmosfera, ha un tempo di permanenza medio di dodici anni.

Al contrario, il tempo di residenza della CO_2 è a volte dell'ordine dei secoli. Gli oceani assorbono il CO_2 atmosferico molto rapidamente: Una molecola di CO_2 si dissolve negli oceani dopo una media di cinque anni. Tuttavia, gli oceani la rilasciano anche nell'atmosfera, così che una parte del CO_2 emesso dall'uomo rimane alla fine nel ciclo del carbonio dell'idrosfera e dell'atmosfera per diversi secoli (circa il 30 %) e un'altra parte (circa il 20 %) anche per millenni.

La frazione volumetrica del protossido di azoto è aumentata nel frattempo da 270 ppbV preindustriali a 323 ppbV. Attraverso il suo spettro di assorbimento, contribuisce a chiudere una finestra di radiazione altrimenti aperta verso lo spazio. Nonostante la sua concentrazione molto bassa nell'atmosfera, contribuisce per circa il 6% all'effetto serra antropogenico, poiché il suo effetto come gas serra è 298 volte più forte di quello del CO_2; inoltre, ha anche un tempo di residenza atmosferica piuttosto elevato di 114 anni.

La concentrazione di vapore acqueo nell'atmosfera non è significativamente modificata dalle emissioni antropogeniche di vapore acqueo, poiché l'acqua supplementare introdotta nell'atmosfera si condensa in pochi giorni. Tuttavia, l'aumento della temperatura media globale porta ad una maggiore pressione del vapore, cioè ad una maggiore evaporazione. Il risultante aumento globale del contenuto di vapore acqueo nell'atmosfera guida inoltre il riscaldamento globale. Il vapore acqueo agisce quindi essenzialmente come un ciclo di feedback. Insieme al feedback ghiaccio-albedo, questo feedback del vapore acqueo è il più forte feedback ad azione positiva nel processo climatico globale.

Aerosol

Oltre ai gas serra, anche gli aerosol influenzano il clima della Terra. Gli aerosol forniscono la più grande incertezza di tutti i contributi osservati al forcing radiativo. L'effetto di un aerosol sulla temperatura dell'aria dipende dalla sua altitudine nell'atmosfera. Nello strato più basso dell'atmosfera, la troposfera, le particelle di fuliggine forniscono un aumento di temperatura poiché assorbono la luce solare e successivamente emettono radiazione termica. La ridotta riflettività (albedo) delle superfici di neve e ghiaccio e le particelle di fuliggine successivamente depositate su di esse hanno anche un effetto di riscaldamento. Negli strati più alti dell'aria, invece, le particelle minerali assicurano che sia più fresco alla superficie terrestre grazie al loro effetto schermante.

Un importante fattore di incertezza nella valutazione dell'impatto climatico degli aerosol è la loro influenza sulla formazione delle nuvole, che non è nemmeno completamente compresa. Nel complesso, si pensa che gli aerosol abbiano un significativo effetto di raffreddamento. La diminuzione dell'inquinamento atmosferico potrebbe quindi contribuire al riscaldamento globale.

Un declino intermittente o una stagnazione della temperatura media globale è in gran parte attribuito all'effetto di raffreddamento degli aerosol di solfato, che sono stati localizzati in Europa e negli Stati Uniti tra gli anni 40 e la metà degli anni 70, e nella Repubblica Popolare Cinese e in India dopo il 2000.

Cause subordinate ed erroneamente sospettate

Un certo numero di fattori influenza il sistema climatico globale. Nella discussione sulle cause del riscaldamento globale, vengono spesso menzionati fattori che sono secondari o addirittura hanno un effetto di raffreddamento sul sistema climatico. Per esempio, il cambiamento dei raggi cosmici non è responsabile del riscaldamento attualmente osservato. La Terra è in una fase di riscaldamento dalla Piccola Era Glaciale dal 1850 circa, più o meno dall'inizio della rivoluzione industriale. Indipendentemente da questo, senza l'intervento umano nel processo climatico naturale, la tendenza al raffreddamento di 0,10-0,15 °C per millennio che esiste da 6000 anni continuerebbe e - a seconda della fonte della letteratura - porterebbe a un nuovo periodo freddo tra 20.000 e 50.000 anni.

Buco dell'ozono

L'assunzione che il buco dell'ozono sia una delle cause principali del riscaldamento globale è sbagliata. La riduzione dell'ozono nella stratosfera ha un leggero effetto di raffreddamento. La riduzione dell'ozono ha due effetti: La ridotta concentrazione di ozono raffredda la stratosfera, perché la radiazione UV non è più assorbita lì, ma riscalda la troposfera, perché la radiazione UV è assorbita alla superficie terrestre e la riscalda. La stratosfera più fredda invia meno radiazioni infrarosse riscaldanti verso il basso e quindi raffredda la troposfera. Nel complesso, l'effetto di raffreddamento domina, così l'IPCC conclude che la riduzione dell'ozono osservata negli ultimi due decenni ha portato a una forzatura radiativa negativa sul sistema climatico, che può essere quantificata in circa -0,15 ± 0,10 watt per metro quadro (W/m^2).

Attività solare

Si pensa che i cambiamenti del Sole abbiano poca influenza sul riscaldamento globale misurato. Il cambiamento nell'intensità della sua radiazione misurata direttamente dall'orbita dal 1978 è troppo piccolo per essere considerato la causa principale della tendenza della temperatura osservata da allora. Dagli anni '60, la tendenza della temperatura media globale è stata disaccoppiata dall'irraggiamento del Sole, e dal 1978 l'irraggiamento ridotto ha molto probabilmente contrastato in qualche modo il riscaldamento globale.

Nel 2013, l'IPCC ha stimato il forcing radiativo aggiuntivo dal sole dall'inizio dell'industrializzazione a circa 0,05 (± 0,05) watt per metro quadrato. In confronto, i gas serra antropogenici contribuiscono al riscaldamento con 2,83 (± 0,29) W/m². L'IPCC scrive che il livello di comprensione scientifica dell'influenza della variabilità solare è aumentato da "molto basso" a "basso" dal terzo al quarto rapporto di valutazione. Nel Quinto Rapporto di Valutazione, l'IPCC assegna una "media significatività" alla sua stima del forcing radiativo solare dal 1750, con una maggiore significatività per gli ultimi tre decenni.

Radiazione cosmica

L'argomento che i raggi cosmici amplificano l'effetto dell'attività solare si basa su uno studio di Henrik Svensmark e Egil Friis-Christensen, che ipotizzano che i raggi cosmici influenzano la formazione delle nuvole e quindi hanno un effetto indiretto sulla temperatura della superficie terrestre, per spiegare come le fluttuazioni dell'attività solare - nonostante il solo lieve cambiamento della radiazione solare - possono innescare l'aumento della temperatura globale osservato. Tuttavia, recenti studi scientifici, in particolare dall'esperimento CLOUD, mostrano che l'influenza dei raggi cosmici sulla formazione delle nuvole è piccola. L'IPCC ha dichiarato nel suo 5° Rapporto di Valutazione, pubblicato nel 2013, che mentre ci sono prove di un tale meccanismo d'azione, è troppo debole per avere un effetto significativo sul clima.Allo stesso modo, i raggi cosmici dipendono dall'attività solare come fattore di rinforzo e, al massimo, potrebbero aver amplificato un effetto di raffreddamento nel suo trend negativo dagli anni '60.

Attività vulcanica

Le grandi eruzioni vulcaniche nella categoria VEI-5 o VEI-6 dell'indice di esplosività vulcanica possono causare un raffreddamento emisferico o globale (circa -0,3 a -0,5 °C) per diversi anni a causa dell'emissione di cenere vulcanica e aerosol nella stratosfera. Si pensa che un'elevata attività vulcanica, per esempio, abbia esercitato un'influenza significativa sulle tendenze della temperatura durante la Piccola Era Glaciale. L'effetto dell'attività vulcanica mostra una leggera tendenza al raffreddamento negli ultimi 60 anni, quindi non può nemmeno spiegare il riscaldamento.

A volte si sostiene che la CO_2 emessa dai vulcani è responsabile dell'effetto serra aggiuntivo. Tuttavia, i vulcani rilasciano solo da 210 a 360 megatoni di CO_2 all'anno. Questo è circa un centesimo delle emissioni annuali di CO_2 prodotte dall'uomo. Anche se la più grande estinzione di massa nella storia della Terra al confine Permiano-Triassico è spiegata da un forte effetto serra indotto dai vulcani, a quel tempo si trattava di un megavolcanismo che non è paragonabile all'attività vulcanica di oggi.

Vapore acqueo

Con una quota atmosferica di circa lo 0,4%, il vapore acqueo è il più forte gas serra in termini di effetto complessivo ed è responsabile di circa due terzi dell'effetto serra naturale. Il CO_2 è il secondo fattore più importante e rappresenta la maggior parte del restante effetto serra. Tuttavia, la concentrazione di vapore acqueo nell'atmosfera dipende principalmente dalla temperatura dell'aria (secondo l'equazione di Clausius-Clapeyron, l'aria può assorbire circa il 7% in più di vapore acqueo per ogni grado Celsius di riscaldamento). Se la temperatura aumenta a causa di un altro fattore di influenza, la concentrazione di vapore acqueo aumenta e quindi il suo effetto serra - il che porta ad un ulteriore aumento della temperatura. Il vapore acqueo amplifica così i cambiamenti di temperatura innescati da altri fattori. Questo effetto è chiamato feedback del vapore acqueo. Il vapore acqueo causa quindi un raddoppio o una triplicazione del riscaldamento innescato dal solo aumento della concentrazione di CO2.

Calore residuo

Quasi tutti i processi generano calore, come la produzione di elettricità, l'uso di motori a combustione (vedi efficienza), o il funzionamento dei computer. Negli Stati Uniti e nell'Europa occidentale, il riscaldamento degli edifici, i processi industriali e i motori a combustione hanno contribuito al riscaldamento nel 2008 rispettivamente con 0,39 W/m^2 e 0,68 W/m^2, e quindi hanno una certa influenza sugli eventi climatici regionali. A livello globale, questo valore era di 0,028 W/m^2 (cioè solo circa l'1% del riscaldamento globale). Contributi notevoli al riscaldamento sono da aspettarsi nel caso di un ulteriore aumento incontrollato della produzione di energia (come negli ultimi decenni) dalla fine del nostro secolo. Se si considera il tempo totale di residenza dell'anidride carbonica nell'atmosfera, allora il forcing radiativo dovuto all'effetto serra come risultato della combustione del carbonio supera il calore rilasciato durante il processo di combustione più di 100.000 volte.

Isole di calore urbano

La temperatura nelle città è spesso più alta che nelle campagne circostanti perché il calore è prodotto dai sistemi di riscaldamento e dai processi industriali. Questo viene assorbito più fortemente nelle case e nelle superfici sigillate. La differenza di temperatura può essere fino a 10 °C nelle grandi città. Poiché molte misurazioni di temperatura sono fatte nelle città, questo potrebbe portare ad un aumento virtuale della temperatura globale. Tuttavia, le misurazioni della temperatura globale considerano i cambiamenti di temperatura piuttosto che i valori assoluti. Inoltre, le misurazioni della temperatura nelle città sono spesso effettuate in aree verdi, che sono più fresche grazie al verde. I calcoli di controllo della temperatura globale utilizzando solo le stazioni rurali producono praticamente le stesse tendenze di temperatura dei calcoli di tutte le stazioni.

Riscaldamento misurato e previsto

Le principali indicazioni per l'attuale riscaldamento globale sono le misurazioni della temperatura a livello mondiale disponibili dal 1850 circa e le valutazioni di vari archivi climatici. Rispetto alle fluttuazioni delle stagioni e al cambiamento del giorno e della notte, i numeri menzionati di seguito sembrano piccoli; come cambiamento globale del clima, però, significano molto, se si considera la temperatura media sulla terra durante l'ultima era glaciale, che era solo circa 6 K più bassa.

Nel 2005, basandosi sull'aumento misurato della temperatura degli oceani in un decennio, è stato calcolato che la Terra assorbe 0,85 watt per metro quadrato più energia di quella che irradia nello spazio.

Aumento della temperatura fino ad ora

Secondo una pubblicazione uscita nel 2016, la temperatura media globale ha iniziato ad aumentare già nel 1830 a causa delle attività umane. Questo è stato trovato come parte di un ampio studio in cui è stato valutato un gran numero di indicatori paleoclimatologici distribuiti a livello globale dei tempi passati (i cosiddetti proxy climatici). A quel tempo non esisteva una fitta rete di stazioni di misurazione della temperatura. Una fase di riscaldamento distinta è stata osservata tra il 1910 e il 1945, durante la quale le fluttuazioni naturali hanno avuto anche un'influenza significativa a causa della concentrazione ancora relativamente bassa di gas serra. Il riscaldamento più pronunciato si è verificato dal 1975 ad oggi.

Il 2016 è stato l'anno più caldo da quando sono iniziate le misurazioni nel 1880. È stato circa 1,1 °C più caldo rispetto all'epoca preindustriale. Il 2017 è stato l'anno non-El Niño più caldo fino ad oggi e anche il secondo anno più caldo dall'inizio delle misurazioni. Dagli anni '80, ogni decennio è stato più caldo del precedente; i cinque anni più caldi, in ordine decrescente, sono stati 2016, 2019, 2015, 2017 e 2018. Secondo i dati del programma Copernicus, il riscaldamento è stato di ben 1,3 °C al di sopra dei livelli preindustriali, raggiungendo a volte quasi il limite di 1,5 °C previsto dalla politica. Rispetto al 2015, il riscaldamento aggiuntivo è stato di 0,2 °C.

Tra il 1880 e il 2012, le temperature medie globali dell'aria vicino alla superficie sono aumentate di 0,85 °C. Soprattutto nel caso di serie temporali brevi, si deve tener conto che gli anni di inizio e fine possono avere una forte influenza sulla tendenza e quindi non riflettono necessariamente le tendenze a lungo termine. Un esempio di tale deviazione è il periodo tra il 1998 e il 2012, che è iniziato con un forte El Niño e quindi un anno eccezionalmente caldo, motivo per cui il trend di riscaldamento di 0,05 °C per decennio in questo periodo era ben al di sotto del trend a lungo termine di 0,12 °C per decennio nel periodo 1951-2012. Tuttavia, i 30 anni dal 1983 al 2012 nell'emisfero settentrionale sono stati il periodo normale più caldo degli ultimi 1400 anni. In questo contesto, uno studio pubblicato nel 2020, basato su un'analisi dettagliata dei dati paleoclimatici, conclude che il riscaldamento che si è verificato finora nel XXI secolo è molto probabile che superi i livelli di temperatura dell'*optimum climatico dell'Olocene* (circa 8000-6000 anni fa).

Uno studio pubblicato nel 2007 ha ristretto la parte naturale del riscaldamento del XX secolo a meno di 0,2 K.

Riscaldamento dell'oceano

Oltre all'aria, anche gli oceani si sono riscaldati, assorbendo oltre il 90% dell'energia termica aggiuntiva. Mentre gli oceani del mondo si sono riscaldati complessivamente solo di 0,04 K dal 1955 alla metà degli anni 2000 a causa del loro enorme volume e dell'elevata inerzia termica, la loro temperatura superficiale è aumentata di 0,6 K nello stesso periodo. Nella gamma dalla superficie dell'oceano a una profondità di 75 metri, la temperatura è aumentata in media di 0,11 K per decennio dal 1971 al 2010.

Il contenuto energetico degli oceani del mondo è aumentato di circa 14,5 × 1022 joule tra la metà degli anni '50 e il 1998, che corrisponde a una potenza di riscaldamento di 0,2 watt per m^2 della superficie totale della Terra. L'aumento di 14,5 × 1022 joule dell'energia degli oceani è equivalente all'energia di 100 milioni di bombe atomiche di Hiroshima; questa quantità di energia riscalderebbe i 10 chilometri inferiori dell'atmosfera di 22 K. Nel periodo 1971 e 2016, l'assorbimento medio di calore degli oceani è stato di circa 200 terawatt, più di 10 volte l'intero consumo energetico mondiale dell'umanità.

Dal 2000, il contenuto di calore degli oceani viene misurato con l'aiuto del programma Argo, che ha reso disponibili dati molto più precisi sullo stato e sul cambiamento dei valori misurati rilevanti dal punto di vista climatico (ad esempio contenuto di calore, salinità, profilo di profondità). Gli ultimi dieci anni sono stati i più caldi per gli oceani dall'inizio delle misurazioni; il 2019 il più caldo fino ad oggi.

Distribuzione locale e temporale del riscaldamento osservato

L'aria sopra le superfici terrestri generalmente si riscalda più di quella sopra le superfici acquatiche, come si può vedere nell'animazione all'inizio di questo articolo (terza posizione in alto a destra). Il riscaldamento delle superfici terrestri tra il 1970 e il 2014 è stato in media di 0,26 K, più del doppio che sul mare, che si è riscaldato di 0,12 K nello stesso periodo. A causa di questa differenza nel rapido riscaldamento tra terra e mare, molte regioni sulla terraferma si sono già riscaldate di più di 1,5 gradi Celsius. Allo stesso tempo, le temperature nell'emisfero settentrionale, dove si trova la maggior parte delle aree terrestri, sono aumentate più bruscamente che nell'emisfero meridionale negli ultimi 100 anni, come mostra anche il grafico allegato.

Le temperature notturne e invernali sono aumentate un po' di più di quelle diurne ed estive. Suddiviso per stagione, il maggior riscaldamento è stato misurato durante i mesi invernali, e particolarmente forte sul Nord America occidentale, la Scandinavia e la Siberia. In primavera, le temperature sono aumentate maggiormente in Europa e nell'Asia settentrionale e orientale. In estate, l'Europa e il Nord Africa sono stati i più colpiti, e in autunno, i maggiori aumenti sono stati registrati sul Nord America, sulla Groenlandia e sull'Asia orientale. Il riscaldamento è stato particolarmente evidente nell'Artico, dove la media annuale è circa il doppio della media globale. Con l'eccezione di poche regioni, il riscaldamento è stato rilevabile in tutto il mondo dal 1979.

Per i diversi strati dell'atmosfera terrestre, un diverso riscaldamento è teoricamente previsto e di fatto anche misurato. Mentre la superficie terrestre e la troposfera medio-bassa dovrebbero riscaldarsi, i modelli suggeriscono un raffreddamento per la stratosfera più alta. In effetti, questo esatto modello è stato trovato nelle misurazioni. I dati satellitari mostrano una diminuzione della temperatura stratosferica inferiore di 0,314 K per decennio negli ultimi 30 anni. Questo raffreddamento è causato in parte dall'aumento dell'effetto serra e in parte dalla riduzione dell'ozono dovuta ai CFC nella stratosfera, vedi anche il Protocollo di Montreal per la protezione dello strato di ozono. Se il sole fosse la causa decisiva, gli strati vicini alla superficie, la troposfera medio-bassa e la stratosfera dovrebbero essersi riscaldati. Secondo la comprensione attuale, questo significa che la maggior parte del riscaldamento osservato deve essere causato dalle attività umane.

I dieci anni più caldi dal 1880

I dieci anni più caldi nel periodo dal 1880 al 2019 - deviazione dalla temperatura media a lungo termine (1901-2000) in °C.

Raffreddamento temporaneo o pausa nel riscaldamento globale

Anche supponendo un riscaldamento di 4 K entro la fine del 21° secolo, ci saranno sempre fasi di stagnazione o addirittura di raffreddamento nel corso del tempo. Queste fasi possono durare fino a circa 15 anni. Le cause sono il ciclo undecennale delle macchie solari, le forti eruzioni vulcaniche di raffreddamento e la proprietà naturale del clima mondiale di mostrare un modello di temperatura oscillante (AMO, PDO, ENSO). Per esempio, il verificarsi di eventi di El Niño o La Niña può aumentare o diminuire la temperatura media globale di 0,2 K da un anno all'altro, mascherando la tendenza annuale al riscaldamento di circa 0,02 K per alcuni anni, ma anche amplificandola.

Feedback

Il sistema climatico globale è caratterizzato da feedback che amplificano o attenuano i cambiamenti di temperatura. Un feedback che amplifica la causa è chiamato feedback positivo. In certi stati del sistema climatico globale, secondo le conoscenze attuali, i feedback positivi sono significativamente più forti dei feedback negativi, così che il sistema climatico può ribaltarsi in un altro stato.

I due processi di feedback più forti e ad azione positiva sono il feedback ghiaccio-albedo e il feedback del vapore acqueo. Uno scioglimento delle calotte polari causa un input di energia aggiuntivo attraverso il feedback ghiaccio-albedo a causa della riduzione della riflessione. Il feedback del vapore acqueo deriva dal fatto che l'atmosfera di un mondo più caldo contiene anche più vapore acqueo. Poiché il vapore acqueo è di gran lunga il più potente gas serra, questo amplifica ulteriormente un processo di riscaldamento che è stato avviato - indipendentemente da ciò che alla fine ha innescato quel riscaldamento. Lo stesso vale nel caso del raffreddamento, che è ulteriormente amplificato dagli stessi processi. Il termine sensibilità climatica è stato stabilito per descrivere quantitativamente la risposta del clima ai cambiamenti nel bilancio delle radiazioni. Può essere usato per confrontare diverse variabili di influenza tra di loro.

Un altro feedback positivo è fornito dalla CO_2 stessa. Con l'aumento del riscaldamento globale, anche l'acqua negli oceani diventa più calda e può quindi assorbire meno CO_2. Di conseguenza, più CO_2 può entrare nell'atmosfera, il che può intensificare ulteriormente l'effetto serra. Attualmente, tuttavia, gli oceani assorbono ancora circa 2 Gt di carbonio all'anno (equivalente a circa 7,3 Gt di CO_2) più di quanto rilasciano nell'atmosfera nello stesso periodo, vedi acidificazione degli oceani.

Tuttavia, oltre a questi tre feedback fisicamente ben compresi, ci sono altri fattori di feedback i cui effetti sono molto più difficili da stimare, in particolare per quanto riguarda le nuvole, la vegetazione e il suolo.

Importanza delle nuvole per il clima

Le nuvole influenzano significativamente il clima della Terra riflettendo parte della radiazione incidente. La radiazione proveniente dal sole viene riflessa indietro nello spazio, quella degli strati atmosferici sottostanti verso il suolo. La luminosità delle nuvole proviene dalla radiazione ad onde corte nella gamma di lunghezza d'onda visibile.

Un maggiore spessore ottico delle nuvole basse fa sì che più energia venga irradiata nello spazio; la temperatura della Terra diminuisce. Al contrario, le nuvole meno dense lasciano passare più radiazione solare, che riscalda gli strati dell'atmosfera sottostante. Le nuvole basse sono spesso dense e riflettono molta luce solare nello spazio. Sono anche più basse nell'atmosfera, dove le temperature sono più alte, e quindi irradiano più calore. La tendenza delle nuvole basse, quindi, è quella di raffreddare la Terra.

Le nuvole alte sono di solito sottili e poco riflettenti. Lasciano passare molto del calore del sole, ma riducono un po' l'irraggiamento solare, per cui il rendimento fotosintetico delle piante verdi è influenzato anche da alti veli di cirri o da molte scie, ma di notte l'irraggiamento termico dalla superficie terrestre e quindi il raffreddamento notturno è un po' ridotto. Poiché sono molto alte dove la temperatura dell'aria è molto bassa, queste nuvole non irradiano molto calore. La tendenza delle nuvole alte è quella di riscaldare un po' la terra di notte.

La vegetazione e lo stato del suolo, e in particolare la sua impermeabilizzazione, la deforestazione o l'uso agricolo, hanno un'influenza significativa sull'evaporazione e quindi sulla formazione di nuvole e sul clima. È stata anche dimostrata una riduzione della formazione di nuvole da parte delle piante: queste emettono fino al 15% in meno di vapore acqueo in caso di aumento di CO2; questo a sua volta riduce la formazione di nuvole.

Nel complesso, è probabile che i feedback delle nuvole amplifichino il riscaldamento globale. Una simulazione pubblicata nel 2019 suggerisce che quando le concentrazioni di CO2 superano 1.200 ppm, le nuvole stratocumulo potrebbero rompersi in nuvole sparse, guidando ulteriormente il riscaldamento globale.

Influenza della vegetazione e del suolo

La vegetazione e il suolo riflettono la luce solare incidente in modo diverso a seconda della loro natura. La luce solare riflessa viene riflessa nello spazio come radiazione solare a onde corte (altrimenti la superficie terrestre sarebbe nera dalla prospettiva dello spazio senza una telecamera a infrarossi). L'albedo è una misura della riflettività delle superfici diffusamente riflettenti (riemittenti), cioè non riflettenti e non auto-illuminanti.

Non è solo il consumo di combustibili fossili che porta al rilascio di gas serra. Anche la coltivazione intensiva di terreni coltivabili e la deforestazione sono fonti significative di gas serra. La vegetazione richiede CO_2 per il processo di fotosintesi per crescere. Il suolo è un importante pozzo di assorbimento perché contiene materiale organico carbonaceo. Le attività agricole come l'aratura rilasciano questo carbonio immagazzinato più facilmente sotto forma di CO_2 perché più ossigeno può entrare nel suolo e il materiale organico si decompone più rapidamente. È probabile che con l'aumento delle temperature, il rilascio di metano dalle zone umide aumenti; c'è ancora incertezza (al 2013) sulla quantità di rilascio.

Nel permafrost della Siberia occidentale sono immagazzinati 70 miliardi di tonnellate di metano; negli oceani, quantità ancora più grandi sono state depositate sui pendii continentali sotto forma di idrato di metano. I cambiamenti climatici locali (attualmente: +3 K entro 40 anni nella Siberia occidentale) potrebbero far raggiungere temperature regionali critiche anche con un basso riscaldamento globale; c'è il rischio che il metano lì immagazzinato venga rilasciato nell'atmosfera.

Un calcolo che presuppone tali feedback è stato fatto dagli scienziati dell'Università della California, Berkeley, che hanno ipotizzato che il contenuto di CO_2 nell'atmosfera aumenterà dal livello attuale di circa 390 ppmV a circa 550 ppmV entro il 2100. Questo, hanno detto, è solo l'aumento antropogenico causato dall'umanità. L'aumento della temperatura porta a un ulteriore rilascio di gas serra, in particolare CO_2 e metano. Con l'aumento della temperatura, c'è un maggiore rilascio di CO_2 dagli oceani del mondo e un decadimento accelerato della biomassa, che rilascia ulteriore metano e CO_2. Questo feedback potrebbe causare un riscaldamento globale di 2 K superiore a quello ipotizzato nel 2006. Per questo e altri motivi, Barrie Pittock stima in *Eos*, la pubblicazione dell'American Geophysical Union, che il riscaldamento futuro potrebbe superare gli intervalli citati dall'IPCC. Cita otto ragioni per la sua ipotesi, tra cui il calo dell'oscuramento globale e gli effetti di feedback della biomassa.

Riscaldamento previsto

Con un raddoppio della concentrazione di CO_2 nell'atmosfera, i ricercatori del clima suppongono che l'aumento della temperatura media della Terra sarà compreso tra 1,5 e 4,5 K. Questo valore è noto anche come sensibilità climatica. Questo valore è conosciuto anche come sensibilità climatica ed è legato al livello pre-industriale (del 1750), così come il forcing radiativo che lo determina; questa quantità è utilizzata dall'IPCC per descrivere quantitativamente tutti i fattori conosciuti che influenzano il bilancio radiativo della Terra e renderli comparabili. Secondo il 5° Rapporto di Valutazione, l'IPCC si aspetta che la temperatura media globale aumenti da 1,0 a 3,7 K entro l'anno 2100 (sulla base del 1986-2005 e a seconda del percorso di emissione di gas serra e del modello climatico applicato). In confronto, il riscaldamento più veloce nel corso dell'ultima era glaciale fino all'attuale periodo caldo è stato un riscaldamento di circa un grado ogni 1000 anni.

Secondo uno studio del Carnegie Institution for Science che ha valutato i risultati di un modello del ciclo del carbonio con i dati degli studi di intercomparazione tra i modelli climatici del quinto rapporto di valutazione dell'IPCC, il sistema climatico globale risponde a un input di CO2 con un ritardo di circa 10 anni con una funzione di salto; cioè, il riscaldamento raggiunge il suo massimo dopo circa 10 anni e poi vi rimane per periodi molto lunghi.

Il Climate Action Tracker indica il più probabile riscaldamento globale previsto entro la fine di questo secolo. Secondo questo, il mondo è attualmente (2016) sulla buona strada per un riscaldamento di 3,6 °C rispetto alla temperatura media globale pre-industriale. Per calcolare questo valore, gli impegni volontari dei principali emettitori per ridurre le emissioni di gas serra sono inseriti in un modello climatico.

Visione a lungo termine e conseguenze che ne derivano

Secondo uno studio pubblicato nel 2009, il riscaldamento già innescato attualmente sarà irreversibile per almeno 1.000 anni, anche se tutte le emissioni di gas serra fossero completamente fermate oggi. In ulteriori scenari, le emissioni sono state gradualmente continuate fino alla fine del nostro secolo e poi anche bruscamente fermate. Nel processo, le ipotesi chiave e le affermazioni fatte nel 4° rapporto IPCC sui 1000 anni successivi sono state confermate e raffinate. Le simulazioni climatiche a lungo termine indicano che la Terra, riscaldata da una maggiore concentrazione di anidride carbonica, si raffredderà solo di circa un grado ogni 12.000 anni.

Al contrario, una combustione completa delle risorse energetiche fossili, stimata prudenzialmente in 5 trilioni di tonnellate di carbonio, porterebbe a un aumento della temperatura globale di circa 6,4-9,5 °C, con impatti negativi molto forti sugli ecosistemi, la salute umana, l'agricoltura, l'economia, e così via. Se le risorse non convenzionali fossero bruciate in aggiunta a quelle convenzionali, la concentrazione di anidride carbonica nell'atmosfera terrestre potrebbe salire a circa 5000 ppm entro l'anno 2400. Oltre a un enorme aumento della temperatura, la calotta antartica si scioglierebbe quasi completamente, il che farebbe aumentare il livello del mare di circa 58 m anche senza includere la calotta della Groenlandia.

Proiezioni 2050

Nel 2019, il Crowther Lab, con sede all'ETH di Zurigo, ha previsto le temperature in 520 aree metropolitane in tutto il mondo per il 2050, con il 22% delle città previste per avere condizioni climatiche che non si trovano attualmente in nessuna città del mondo. Per le altre si prevede che avranno condizioni equivalenti a quelle di un'altra città. Vienna, per esempio, è previsto avere un clima simile a Skopje, Amburgo a San Marino, Berlino e Parigi a Canberra in Australia, Londra a Melbourne, Atene e Madrid a Fez in Marocco, Nairobi ad avere un clima simile a Maputo. New York dovrebbe avere un clima come Virginia Beach, Virginia Beach ancora come Podgorica, Seattle come San Francisco, Toronto come Washington D.C., Washington D.C. come Nashville.

Stato della ricerca

Storia della scienza

Nel 1824, Jean Baptiste Joseph Fourier scoprì l'effetto serra. Eunice Newton Foote fu la prima a studiare sperimentalmente l'effetto della radiazione solare su tubi di vetro ermetici riempiti con vari gas. Dimostrò l'assorbimento della radiazione termica da parte dell'anidride carbonica e del vapore acqueo, lo riconobbe come una possibile causa degli eventi di cambiamento climatico e pubblicò i suoi risultati nel 1856. John Tyndall riuscì nel 1859 a dimostrare concretamente l'assorbimento da parte dei gas serra della radiazione infrarossa a onda lunga proveniente dalla superficie terrestre; determinò l'importanza relativa del vapore acqueo rispetto all'anidride carbonica e al metano per l'effetto serra naturale; dopo Tyndall, Svante Arrhenius pubblicò nel 1896 l'ipotesi che l'arricchimento antropogenico di CO_2 nell'atmosfera potesse aumentare la temperatura della Terra. Questo fu l'inizio della "scienza del riscaldamento globale" in senso stretto.

Nel 1908, il meteorologo britannico e poi presidente della Royal Meteorological Society Ernest Gold (1881-1976) pubblicò un documento sulla stratosfera. In esso, scrisse che la temperatura della tropopausa aumenta con l'aumentare della concentrazione di CO_2. Questa è una caratteristica del riscaldamento globale che potrebbe essere misurata anche quasi un secolo dopo.

Alla fine degli anni '50, è stato dimostrato per la prima volta che il contenuto di anidride carbonica nell'atmosfera stava aumentando: Su iniziativa di Roger Revelle, Charles David Keeling iniziò a misurare regolarmente il contenuto di CO_2 nell'atmosfera (curva di Keeling) sul monte Mauna Loa (Hawaii, Big Island) nel 1958. Gilbert Plass fu il primo ad usare i computer e gli spettri di assorbimento della CO_2, molto più precisi, per calcolare il riscaldamento previsto nel 1956. Ha ottenuto 3,6 K (3,6 °C) come valore della sensibilità climatica.

I primi programmi per computer per modellare il clima del mondo sono stati scritti alla fine degli anni '60.

Nel 1979, l'Accademia Nazionale delle Scienze degli Stati Uniti scrisse nel "Rapporto Charney" che un aumento della concentrazione di anidride carbonica era senza dubbio legato a un significativo riscaldamento del clima; tuttavia, effetti significativi non erano previsti per diversi decenni a causa dell'inerzia del sistema climatico.

Il climatologo statunitense James E. Hansen ha detto alla *Commissione per l'Energia e le Risorse Naturali del* Senato degli Stati Uniti *il* 23 giugno 1988, che era convinto al 99% che le rispettive temperature record annuali non erano il risultato di variazioni naturali. Questa è considerata la prima dichiarazione di questo tipo da parte di uno scienziato davanti a un organismo politico. Già in questa riunione furono fatte richieste di misure politiche per rallentare il riscaldamento globale. Nel novembre 1988, il Gruppo intergovernativo sui cambiamenti climatici (IPCC) è stato istituito per assistere i responsabili politici e i governi: Qui, lo stato delle conoscenze scientifiche sul riscaldamento globale e il contributo antropogenico ad esso viene discusso, concordato e riassunto in rapporti.

Il riscaldamento globale antropogenico nel contesto della storia della terra

Fin dal suo inizio, la ricerca sulle cause e le conseguenze del riscaldamento globale è stata strettamente legata all'analisi delle condizioni climatiche dei tempi passati. Svante Arrhenius, che è stato il primo a sottolineare che gli esseri umani stanno riscaldando la terra attraverso l'emissione di CO_2, ha riconosciuto l'influenza climatica del cambiamento delle concentrazioni di anidride carbonica nell'atmosfera terrestre quando cercava le cause delle ere glaciali.

Proprio come i terremoti e le eruzioni vulcaniche, il cambiamento climatico è qualcosa di naturale. Dalla formazione della Terra, il clima terrestre è cambiato costantemente e continuerà a cambiare in futuro. Il principale responsabile di ciò è stato il cambiamento della concentrazione e della composizione dei gas serra nell'atmosfera a causa della diversa intensità del vulcanismo e dell'erosione. Altri fattori che influenzano il clima sono la radiazione solare variabile, dovuta in parte ai cicli di Milanković, e un permanente rimodellamento e spostamento dei continenti causato dalla tettonica a placche, con un conseguente spostamento delle principali correnti oceaniche. Le masse terrestri ai poli hanno promosso la formazione di calotte di ghiaccio, e il cambiamento delle correnti oceaniche ha diretto il calore lontano o verso i poli, influenzando così la forza del potentissimo feedback ghiaccio-albedo.

Anche se la luminosità e la potenza radiante del sole all'inizio della storia della Terra erano circa il 30% al di sotto dei livelli attuali, le condizioni in cui l'acqua liquida poteva esistere prevalsero per tutto quel tempo. Questo fenomeno, chiamato il *paradosso del sole giovane e debole, ha* portato negli anni '80 all'ipotesi di un "termostato di CO_2": ha mantenuto le temperature della terra costanti per miliardi di anni in intervalli che hanno reso possibile la vita sul nostro pianeta. Quando i vulcani emettevano più CO_2, facendo aumentare le temperature, il grado di erosione aumentava, intrappolando più CO_2. Se la Terra era fredda e la concentrazione del gas serra era bassa, gli agenti atmosferici si riducevano notevolmente con la glaciazione di ampie zone di terra. Il gas serra, che continuava a fluire nell'atmosfera attraverso il vulcanismo, si accumulava fino a un certo punto limite, innescando alla fine un disgelo globale. Lo svantaggio di questo meccanismo è che ci vogliono diversi millenni per correggere le concentrazioni di gas serra e le temperature, e sono noti diversi casi in cui ha fallito.

Si suppone che la grande catastrofe dell'ossigeno di 2,3 miliardi di anni fa abbia causato un crollo della concentrazione di metano nell'atmosfera. Questo ridusse così tanto l'effetto serra da provocare una glaciazione su larga scala e di lunga durata della Terra durante l'Era Glaciale Huron. Nel corso di - presumibilmente diversi - eventi della Terra a palla di neve durante il Neoproterozoico, circa 750-635 milioni di anni fa, la superficie terrestre si congelò di nuovo quasi completamente.

L'ultimo evento di questo tipo si è verificato poco prima dell'esplosione del Cambriano, 640 milioni di anni fa, ed è chiamato Era Glaciale Marino. La superficie luminosa della Terra quasi completamente ghiacciata rifletteva quasi tutta l'energia solare incidente nello spazio, mantenendo così la Terra intrappolata in uno stato di glaciazione; questo non cambiò finché la concentrazione di anidride carbonica nell'atmosfera terrestre non salì a livelli estremamente alti a causa del vulcanismo che continuava sotto il ghiaccio. Poiché il termostato di CO2 risponde con lentezza ai cambiamenti, la Terra non solo si è scongelata, ma successivamente è precipitata nell'altro estremo di una super serra per diversi decenni. L'estensione della glaciazione è contestata tra gli scienziati, tuttavia, perché i dati climatici di questo periodo sono imprecisi e incompleti. Secondo una recente ricerca, una costellazione simile si è verificata alla transizione Carbonifero-Permiano circa 300 milioni di anni fa, quando le concentrazioni di anidride carbonica atmosferica sono diminuite ad un minimo di probabilmente 100 ppm. Questo portò il sistema climatico della Terra nelle immediate vicinanze di quel punto di svolta che avrebbe mandato il pianeta in uno stato climatico di glaciazione globale.

Al contrario, all'epoca della probabile più grande estinzione di massa 252 milioni di anni fa, la Terra era una super serra con temperature molto più alte di quelle attuali. Questo drastico aumento di temperatura, che spazzò via quasi tutta la vita sulla Terra al confine tra Permiano e Triassico, fu molto probabilmente causato da un lungo periodo di intensa attività vulcanica, che portò alla formazione della trappola siberiana. Recenti studi isotopici indicano che gli oceani di quel periodo si sono riscaldati di ben 8 K in un periodo di tempo relativamente breve e, parallelamente, sono diventati altamente acidi. Durante questi e altri periodi di temperature estremamente elevate, gli oceani erano in gran parte privi di ossigeno. Tali eventi anossici oceanici si sono ripetuti diverse volte nella storia della Terra. È ormai noto che sia i periodi di forte raffreddamento, come durante la Grande Coupure, sia i rapidi riscaldamenti sono stati accompagnati da estinzioni di massa. Il paleontologo Peter Ward sostiene addirittura che tutte le estinzioni di massa conosciute nella storia della Terra, ad eccezione dell'impatto del KT, sono state scatenate da crisi climatiche.

Il clima degli ultimi 10.000 anni è stato insolitamente stabile rispetto alle frequenti e forti fluttuazioni dei millenni precedenti. Questa stabilità è considerata un requisito fondamentale per lo sviluppo e la continuazione della civiltà umana. Più recentemente, un rapido e forte riscaldamento globale si è verificato durante il Paleocene/Eocene Thermal Maximum e l'Eocene Thermal Maximum 2, causato da una massiccia immissione di carbonio (CO_2 e/o metano) nell'atmosfera. Queste epoche sono quindi oggetto di un'intensa ricerca per ottenere intuizioni sui possibili effetti del riscaldamento in corso indotto dall'uomo.

L'attuale cambiamento climatico e il cambiamento climatico previsto per i prossimi anni possono avere l'ampiezza dei principali cambiamenti climatici nella storia della Terra, ma il previsto cambiamento di temperatura in arrivo è almeno un fattore 20 più veloce di tutti i cambiamenti climatici globali degli ultimi 65 milioni di anni. Se guardiamo la velocità delle fasi di riscaldamento dalle ere glaciali agli interglaciali, come è avvenuto cinque volte negli ultimi 500.000 anni circa, in ogni caso si sono verificate fasi di rapido riscaldamento. Queste fasi sono durate circa 10.000 anni ciascuna e sono state caratterizzate da un aumento di circa 4 o 5 °C in totale. Nel caso dell'attuale riscaldamento causato dall'uomo, l'aumento, senza significative misure di protezione del clima, è stato anch'esso calcolato in circa 4 - 5 °C - solo che questo processo avviene in 100 invece che in 10.000 anni.

Sulla base dei prossimi duecento anni di dati e ricerche, si può supporre che l'epoca del Pliocene possa essere un esempio analogo per il prossimo futuro del nostro pianeta. Il contenuto di anidride carbonica nell'atmosfera nel Pliocene medio è stato determinato dall'analisi isotopica $\Delta 13C$ ed era allora nell'intervallo di 400 ppm, corrispondente alla concentrazione del 2015. Utilizzando proxy climatici, la temperatura e il livello del mare del periodo di 5 milioni di anni fa possono essere ricostruiti. All'inizio del Pliocene, la temperatura media globale era di 2 K superiore a quella dell'Olocene; la temperatura media annuale globale risponde molto lentamente ai cambiamenti della forzante radiativa a causa dell'enorme capacità termica degli oceani del mondo, e quindi è aumentata solo di circa 1 K dall'inizio della rivoluzione industriale.

Tra le altre cose, il riscaldamento porta a un aumento del livello del mare. Il livello del mare a metà del Pliocene era circa 20 metri più alto di oggi.

Gruppo intergovernativo sui cambiamenti climatici (IPCC)

L'Intergovernmental Panel on Climate Change (IPCC) è stato istituito nel 1988 dal Programma delle Nazioni Unite per l'Ambiente (UNEP) insieme all'Organizzazione Meteorologica Mondiale (WMO) ed è collegato alla Convenzione quadro sui cambiamenti climatici, conclusa nel 1992. Nei suoi rapporti, che vengono pubblicati a intervalli di circa sei anni, l'IPCC riassume i risultati della ricerca mondiale nel campo del cambiamento climatico e rappresenta così lo stato attuale delle conoscenze in climatologia.

L'organizzazione ha ricevuto il premio Nobel per la pace nel 2007, insieme all'ex vicepresidente degli Stati Uniti Al Gore. Il quinto rapporto di valutazione è stato pubblicato nel settembre 2013.

Quanto sono certe le scoperte sul riscaldamento globale?

Dalla scoperta dell'effetto serra nell'atmosfera nel 1824 da parte di Jean Baptiste Joseph Fourier e la descrizione dell'effetto serra del vapore acqueo e dell'anidride carbonica nel 1862 da parte di John Tyndall, la ricerca scientifica sul sistema climatico della Terra è diventata sempre più precisa. Ci sono ora "prove schiaccianti" che il riscaldamento globale è reale, causato dall'uomo e una grande minaccia.

L'effetto riscaldante dei gas serra è noto da 150 anni, e il loro aumento di concentrazione nell'atmosfera terrestre ha potuto essere dimostrato in modo affidabile a metà degli anni '50. Il pronunciato riscaldamento globale che è stato osservato dalla metà degli anni '70 e che continua ininterrottamente fino ad oggi, non può essere attribuito principalmente alle influenze solari o ad altri fattori naturali con l'aiuto della tecnologia di misurazione che è migliorata significativamente da allora, poiché questi sono cambiati solo minimamente da allora. La ricerca fondamentale sull'impatto dei gas a effetto serra risale alla metà degli anni '70 da parte dell'oceanografo Veerabhadran Ramanathan.

Da allora sono state pubblicate diverse centinaia di migliaia di studi climatologici, la stragrande maggioranza dei quali (circa il 97%) sostiene il consenso scientifico sul cambiamento climatico. Le proiezioni e i calcoli fatti decenni fa sono ancora abbastanza dispersivi, ma nel complesso si sono adattati sorprendentemente bene alla tendenza. Se i modelli vengono alimentati con misurazioni più recenti, specialmente del bilancio radiativo tra l'alta atmosfera e lo spazio esterno, allora la dispersione tra i modelli diminuisce e il valore medio del riscaldamento alla fine del secolo aumenta un po'.

Tendenze e tempi esatti

Nella ricerca sul clima, viene fatta una distinzione tra tendenza e tempistica, e le probabilità di accadimento sono calcolate per ciascuna. Nell'area tematica del riscaldamento globale, per esempio, non si sa con precisione quanto segue: diverse tempistiche degli eventi, incluso quando l'Artico sarà libero dai ghiacci in estate nel 21° secolo; anche l'esatto aumento del livello del mare entro la fine del 21° secolo è sconosciuto. Esistono incertezze sulla natura esatta, la forma, la posizione e la distribuzione dei punti critici globali nel sistema climatico e, correlativamente, nel conoscere gli impatti regionali precisi del riscaldamento globale. Al contrario, la maggior parte dei principi scientifici rilevanti sono considerati molto ben compresi.

Il consenso scientifico sul cambiamento climatico

Il tema del riscaldamento globale è stato inizialmente oggetto di discussioni controverse con enfasi mutevoli. All'inizio del 20° secolo, prevaleva l'incertezza sul fatto che il riscaldamento teoricamente previsto sarebbe stato del tutto misurabile. Quando un aumento significativo della temperatura fu registrato per la prima volta in alcune regioni degli Stati Uniti durante gli anni '30, questo fu considerato come una forte indicazione di un crescente riscaldamento globale, ma allo stesso tempo si dubitava che questo processo fosse effettivamente dovuto alle influenze umane. Questi dubbi sono ancora oggi espressi da alcuni gruppi apparentemente scettici sul clima, e occasionalmente anche i media prevedono un raffreddamento globale per i prossimi decenni, cosa che viene respinta dai ricercatori sul clima.

Oggi, c'è un consenso tra gli scienziati esperti riguardo al riscaldamento globale causato dall'uomo che esiste almeno dai primi anni '90. Altre fonti datano la creazione del consenso scientifico già negli anni '80. Per esempio, il rapporto intermedio della Commissione Enquete sulle misure precauzionali per la protezione dell'atmosfera terrestre, pubblicato nel 1988, affermava che un consenso sull'esistenza e la causa umana del cambiamento climatico era già stato raggiunto alla Conferenza sul clima di Villach del 1985:

Il consenso scientifico espresso nei rapporti dell'IPCC è esplicitamente condiviso dalle accademie scientifiche nazionali e internazionali e da tutti i paesi del G8.

Il consenso scientifico sul cambiamento climatico è che il sistema climatico della Terra si sta riscaldando e continuerà a farlo. Questo è determinato dalle osservazioni dell'aumento delle temperature medie dell'aria e degli oceani, dallo scioglimento su larga scala di neve e ghiaccio, e dall'aumento del livello del mare. Con almeno il 95% di certezza, questo è causato principalmente dai gas a effetto serra (combustione di combustibili fossili, emissioni di metano dal bestiame, rilascio di CO_2 dalla produzione di cemento) e dal disboscamento. L'American Association for the Advancement of Science - la più grande società scientifica del mondo - afferma che il 97% di tutti i climatologi sono d'accordo che il cambiamento climatico indotto dall'uomo è in atto, e sottolinea il consenso che esiste su molti aspetti della climatologia. Al più tardi dall'inizio del millennio, lo stato delle conoscenze sulle conseguenze associate al cambiamento climatico è stato considerato come sufficientemente certo da giustificare ampie misure di protezione del clima.

Secondo uno studio pubblicato nel 2014, assumendo nessun effetto serra antropogenico, c'era solo uno 0,001% di probabilità che l'evento si verificasse effettivamente per almeno 304 mesi consecutivi (da marzo 1985 allo stato di giugno 2010 dell'analisi) con una temperatura media globale mensile superiore alla media del XX secolo.

Negazione del riscaldamento globale causato dall'uomo

Sebbene ci sia stato un forte consenso all'interno della comunità scientifica per decenni riguardo al riscaldamento globale causato dall'uomo, parti del pubblico e un gran numero di attori politici ed economici continuano ancora oggi a negare l'esistenza del cambiamento climatico, la sua causa umana, le conseguenze negative associate, o il consenso scientifico su di esso. La negazione del cambiamento climatico causato dall'uomo è una forma di pseudoscienza che ha somiglianze con altre forme di negazione della scienza, come negare la teoria dell'evoluzione o gli effetti nocivi del fumo sulla salute, o credere nelle teorie della cospirazione. In parte, ci sono connessioni personali, organizzative ed economiche tra queste suddette forme di negazione della conoscenza scientifica. Tra l'altro, un modello centrale di connessione è la costante fabbricazione di controversie *artificiali* come la presunta controversia sul riscaldamento globale, che, contrariamente a quanto si crede, non è una discussione scientifica ma piuttosto la diffusione deliberata di false affermazioni da parte dei negazionisti del clima. La negazione della ricerca sul clima è considerata "di gran lunga la forma più coordinata e finanziata di negazione della scienza" ed è anche la spina dorsale del movimento anti-ambientale e la sua opposizione alla ricerca ambientale.

Il rifiuto del consenso scientifico è particolarmente pronunciato nei paesi in cui è stato creato un influente contro-movimento con grandi spese finanziarie da parte di aziende, soprattutto del settore dell'energia fossile, con lo scopo di minare l'esistenza del consenso scientifico seminando deliberatamente il dubbio. Queste azioni hanno avuto particolare successo tra i segmenti conservatori della popolazione negli Stati Uniti. I think tank conservatori giocano un ruolo importante nell'oscurare lo stato della scienza.

Tra le forze più importanti del movimento organizzato di negazione del clima che nega l'esistenza del riscaldamento globale causato dall'uomo attraverso attacchi mirati alla scienza del clima ci sono il Cato Institute, il Competitive Enterprise Institute, il George C. Marshall Institute e l'Heartland Institute, tutti think tank di orientamento conservatore. Il loro obiettivo era ed è quello di usare la strategia della Paura, Incertezza e Dubbio per creare incertezza e dubbio nella popolazione sull'esistenza del riscaldamento globale, e poi sostenere che non ci sono abbastanza prove per intraprendere azioni concrete sul clima. In totale, il movimento contrario al clima degli Stati Uniti ha circa 900 milioni di dollari all'anno a disposizione per la campagna. La stragrande maggioranza dei finanziamenti proviene da organizzazioni politicamente conservatrici, con finanziamenti sempre più mascherati attraverso i trust dei donatori. La maggior parte della letteratura che si oppone al cambiamento climatico causato dall'uomo è stata pubblicata senza peer review, è tipicamente di natura pseudoscientifica (cioè, appare esteriormente scientifica ma non soddisfa gli standard di qualità scientifica), è stata ampiamente finanziata da organizzazioni e corporazioni che traggono profitto dall'uso dei combustibili fossili, ed è associata a think tank conservatori.

Conseguenze del riscaldamento globale

A causa degli impatti sulla sicurezza umana, la salute, l'economia e l'ambiente, il riscaldamento globale pone dei rischi. Questi rischi diventano più gravi con l'aumentare del riscaldamento, e sono più alti a 2 gradi di riscaldamento di quanto lo sarebbero se il riscaldamento globale fosse limitato a 1,5 gradi. Gli impatti negativi del riscaldamento globale si stanno già verificando e hanno già colpito molti ecosistemi sulla terra e nell'acqua, tra gli altri. Alcuni cambiamenti che si notano già oggi, come la riduzione della copertura nevosa, l'innalzamento del livello del mare e lo scioglimento dei ghiacciai, sono considerati prove del cambiamento climatico, oltre alle misurazioni della temperatura. Le conseguenze del riscaldamento globale colpiscono sia gli esseri umani direttamente che gli ecosistemi. Inoltre, il cambiamento climatico aggrava molti altri problemi seri, come l'estinzione delle specie o il degrado del territorio, così che la lotta al cambiamento climatico è allo stesso tempo una misura chiave per risolvere altri problemi urgenti sulla strada verso un modo di vita sostenibile.

Gli scienziati proiettano vari impatti diretti e indiretti sull'idrosfera, l'atmosfera e la biosfera. Il rapporto del Gruppo intergovernativo sui cambiamenti climatici (IPCC) assegna delle probabilità a ciascuna di queste proiezioni. Le conseguenze includono ondate di calore, specialmente ai tropici, l'innalzamento del livello del mare che colpisce centinaia di milioni di persone, e fallimenti dei raccolti che minacciano la sicurezza alimentare globale. Un mondo che si riscalda rapidamente, secondo un rapporto della Banca Mondiale, è associato ad un significativo disturbo umano.

Cambiamenti inaspettati e punti di svolta

Viene fatta una distinzione tra almeno due tipi di effetti inaspettati: Effetti combinati, in cui diversi eventi estremi agiscono insieme e rafforzano reciprocamente il loro effetto (per esempio, siccità e grandi incendi), ed elementi di ribaltamento. A causa dei feedback multipli nel sistema terrestre, esso reagisce spesso alle influenze in modo non lineare, cioè i cambiamenti in questi casi non sono continui ma bruschi. Ci sono un certo numero di elementi di ribaltamento che probabilmente adotteranno bruscamente un nuovo stato con il progredire del riscaldamento, che sarà difficile o impossibile da invertire dopo un certo punto (punto di ribaltamento). Esempi di elementi di ribaltamento sono lo scioglimento della calotta artica o un rallentamento della circolazione termoalina.

Altri esempi di eventi bruschi sono l'improvvisa estinzione di una specie che - eventualmente precaricata da altri fattori ambientali - viene eliminata da un evento climatico estremo, o l'effetto dell'aumento del livello del mare. Questi non portano direttamente all'inondazione, ma solo quando, per esempio, le mareggiate inondano una diga precedentemente adeguata. Lo stesso aumento del livello del mare può anche accelerare rapidamente in un tempo molto breve a causa di effetti non lineari, come è successo nella storia del clima, per esempio, con l'impulso dell'acqua di fusione 1A.

Gli studi sui cambiamenti climatici nella storia della Terra mostrano che i cambiamenti climatici nel passato non erano solo graduali e lenti, ma a volte molto rapidi. Per esempio, alla fine del Dryas più giovane e durante gli eventi Dansgaard-Oeschger nell'ultimo periodo freddo, è stato osservato a livello regionale un riscaldamento di 8

°C in circa 10 anni. Sulla base delle conoscenze attuali, sembra probabile che questi rapidi salti nel sistema climatico continueranno a verificarsi in futuro se verranno superati certi punti di ribaltamento. Poiché la possibilità di rappresentare il clima nei modelli climatici non corrisponderà mai completamente alla realtà, il sistema climatico è fondamentalmente imprevedibile nei dettagli a causa della sua natura caotica e, inoltre, il mondo si sta muovendo sempre più al di fuori dell'intervallo per il quale sono disponibili dati climatici passati affidabili, non è possibile prevedere né il tipo, né la portata, né i tempi di tali eventi.

Tuttavia, nel 2018, Will Steffen e altri hanno calcolato i probabili intervalli di temperatura del riscaldamento globale in cui possono essere raggiunte le soglie critiche per gli elementi di ribaltamento, tali che "vengono spostati in stati fondamentalmente diversi." I feedback potrebbero innescare altri elementi di ribaltamento che non dovrebbero cambiare fino a intervalli di temperatura più elevati. Per esempio, ha detto, la circolazione termoalina è influenzata da un grande scioglimento della calotta glaciale della Groenlandia, che è già possibile con un riscaldamento globale tra 1 e 3 gradi. Il suo collasso è a sua volta alimentato dall'oscillazione El Niño-Southern, dalla morte parziale della foresta amazzonica e dallo scioglimento dei ghiacci marini antartici, poi dei ghiacci continentali. Anche se l'obiettivo climatico di 2 gradi di riscaldamento globale è raggiunto, c'è il rischio di un effetto domino, una cascata che porterebbe il clima in modo incontrollabile e irreversibile in un clima caldo, con un aumento delle temperature di circa 4 o 5 gradi a lungo termine e un aumento del livello del mare da 10 a 60 metri.

Effetti sulla biosfera

I rischi per gli ecosistemi su una Terra che si riscalda aumentano con ogni grado di aumento della temperatura. I rischi sotto un riscaldamento di 1 K sopra i livelli preindustriali sono relativamente piccoli. Tra 1 e 2 K di riscaldamento, i rischi sono a volte sostanziali su scala regionale. Un riscaldamento superiore a 2 K comporta maggiori rischi di estinzione per numerose specie animali e vegetali i cui habitat non soddisfano più le loro esigenze. Per esempio, l'IPCC prevede che le barriere coralline globali diminuiranno del 70-90% a 1,5 gradi di riscaldamento. A 2 gradi di riscaldamento, l'IPCC prevede un declino di oltre il 99%, con conseguente quasi scomparsa delle barriere coralline. A più di 2 K di aumento della temperatura, c'è una minaccia di collasso dell'ecosistema e impatti significativi sull'acqua e sulle forniture di cibo attraverso il fallimento dei raccolti.

- L'aumento delle precipitazioni, della temperatura e dei livelli di CO_2 atmosferica hanno favorito la crescita delle piante negli ultimi decenni. È aumentata del sei per cento in media in tutto il mondo tra il 1982 e il 1999, soprattutto ai tropici e nella zona temperata dell'emisfero settentrionale.
- I rischi per la salute umana sono in parte una conseguenza diretta dell'aumento delle temperature dell'aria. Le ondate di calore diventeranno più frequenti, mentre gli eventi di freddo estremo probabilmente diventeranno meno frequenti. Mentre il numero di morti per il caldo probabilmente aumenterà, il numero di morti per il freddo diminuirà.

- Nonostante il riscaldamento globale, eventi freddi possono verificarsi localmente e temporaneamente. Le simulazioni climatiche prevedono, per esempio, che lo scioglimento dei ghiacci artici possa causare gravi perturbazioni nelle correnti d'aria. Questo potrebbe triplicare la probabilità di inverni estremamente freddi in Europa e nell'Asia settentrionale.
- La produttività agricola sarà influenzata sia da un aumento della temperatura che da un cambiamento delle precipitazioni. A livello globale, ci si può aspettare un deterioramento del potenziale di produzione, più o meno. Tuttavia, la portata di questa tendenza negativa è soggetta a incertezza, poiché non è chiaro se si verificherà un effetto di fertilizzazione a seguito dell'aumento delle concentrazioni di carbonio (-3%) o meno (-16%). Secondo i calcoli dei modelli, tuttavia, le regioni tropicali saranno più gravemente colpite rispetto alle regioni temperate, dove in alcuni casi ci si aspetta persino un aumento significativo della produttività con la fertilizzazione del carbonio. Per esempio, ci si aspetta che l'India veda un crollo di circa il 30-40% entro il 2080, mentre le stime per gli Stati Uniti e la Cina vanno da -7% a +6%, a seconda dello scenario di fertilizzazione del carbonio. Inoltre, ci sono probabili cambiamenti nelle gamme di distribuzione dei parassiti e nelle popolazioni. Sempre secondo i calcoli dei modelli, se il cambiamento climatico continua ininterrotto, si prevedono circa 529.000 morti all'anno in tutto il mondo come risultato di un'alimentazione più povera, in particolare il calo del consumo di frutta e verdura. Al contrario, con un rigoroso

programma di mitigazione del cambiamento climatico (implementazione dello scenario RCP 2.6), il numero di morti aggiuntive potrebbe essere limitato a circa 154.000.

- I cambiamenti nei rischi per la salute umana e animale si verificheranno come risultato dei cambiamenti nella gamma, nella popolazione e nel potenziale di infezione dei vettori della malattia.

Effetti su idrosfera e atmosfera

- L'aumento della temperatura dell'aria sta cambiando la distribuzione e l'estensione delle precipitazioni in tutto il mondo. Secondo l'equazione di Clausius-Clapeyron, con ogni grado di aumento della temperatura l'atmosfera può assorbire circa il 7% in più di vapore acqueo, che a sua volta agisce come gas serra. Anche se questo aumenterà la quantità media di precipitazioni a livello globale, la siccità aumenterà anche in singole regioni, da un lato a causa di una diminuzione della quantità di precipitazioni lì, ma anche a causa dell'evaporazione accelerata a temperature più alte.
- L'aumento dell'evaporazione porta a un maggiore rischio di piogge intense, inondazioni e acqua alta.
- L'aumento dello scioglimento dei ghiacciai si sta verificando in tutto il mondo.
- Come risultato del riscaldamento globale, il livello del mare sta aumentando. Questo è aumentato di 1-2 cm per decennio nel 20° secolo e sta accelerando. All'inizio del 21° secolo, il tasso

era di 3-4 cm. Entro il 2100, l'IPCC si aspetta un ulteriore aumento del livello del mare probabilmente di 0,29-0,59 m con una rigorosa mitigazione del cambiamento climatico e 0,61-1,10 m con ulteriori aumenti delle emissioni di gas serra; un aumento del livello del mare fino a 2 m non può essere escluso. Nei prossimi 2000 anni, si prevede che l'aumento del livello del mare sarà di circa 2,3 m per ogni grado Celsius aggiuntivo di riscaldamento. Ci sono indicazioni che i punti di ribaltamento sono già stati superati, accelerando lo scioglimento di parte dell'Antartide occidentale. Questo potrebbe aumentare il livello del mare di tre metri nel lungo termine. Lo scioglimento estensivo delle masse di ghiaccio della Groenlandia è considerato possibile entro 1000 anni e alzerebbe il livello del mare di sette metri. Lo scioglimento dell'intera calotta antartica alzerebbe il livello di altri 57 metri. Tuttavia, un tale scenario non è prevedibile.

- Secondo l'Organizzazione Meteorologica Mondiale, ci sono prove a favore *e* contro la presenza di un segnale antropogenico nelle registrazioni dei cicloni tropicali del passato, ma finora non si possono trarre conclusioni definitive. La frequenza delle tempeste tropicali probabilmente diminuirà, ma la loro intensità aumenterà.
- C'è l'evidenza che il riscaldamento globale sta portando all'aumento di eventi meteorologici estremi (ad esempio, periodi caldi, inondazioni) attraverso un cambiamento nelle onde di Rossby (oscillazioni su larga scala delle correnti d'aria).

Aspetti di scienza sociale

Economia

Secondo le stime attuali, le conseguenze economiche del riscaldamento globale sono considerevoli: Nel 2004/5, l'Istituto Tedesco per la Ricerca Economica ha stimato che senza una rapida protezione del clima, il cambiamento climatico potrebbe causare costi economici fino a 200.000 miliardi di dollari entro il 2050 (sebbene questa stima sia soggetta a grandi incertezze). La Stern Review (commissionata dall'allora governo britannico a metà del 2005) ha stimato che il cambiamento climatico costerebbe tra il 5 e il 20% della produzione economica globale entro il 2100.

Secondo un *rapporto di Lancet* pubblicato in vista della 23esima conferenza delle Nazioni Unite sui cambiamenti climatici ("COP 23") che si terrà a Bonn, in Germania, nel novembre 2017, il numero di disastri naturali legati al clima è aumentato del 46% dal 2000, causando 126 miliardi di dollari di danni economici nel solo 2016.

Vedi anche "Climate finance", Assicurazione sul clima, Perdita e danni, Rischi climatici imprenditoriali.

Limitazione del riscaldamento globale

Per stabilizzare la temperatura della Terra e limitare le conseguenze del riscaldamento globale, le emissioni di gas serra in tutto il mondo devono essere limitate a zero, poiché solo un certo budget globale di CO_2 è disponibile per ogni obiettivo di temperatura. Al contrario, questo significa che il riscaldamento globale continuerà finché i gas serra saranno emessi e la quantità totale di gas serra nell'atmosfera aumenterà. Quindi, la semplice riduzione delle emissioni non ferma il riscaldamento globale, ma lo rallenta soltanto.

Politica climatica

I gas a effetto serra si accumulano uniformemente nell'atmosfera; il loro effetto non dipende da dove vengono emessi. La riduzione delle emissioni di gas serra va quindi a beneficio di tutti; tuttavia, spesso comporta sforzi e costi per coloro che riducono le loro emissioni di gas serra. La riduzione delle emissioni globali a zero affronta quindi quello che è noto come il problema del free rider: gli attori che sono principalmente interessati alla stabilizzazione del clima e ai corrispondenti sforzi di protezione del clima da parte di altri, ma non vedono sufficienti incentivi per i propri sforzi di protezione del clima. La politica climatica internazionale affronta il compito di creare un quadro normativo globale che porti ad un'azione collettiva verso la neutralità del clima.

Storia

La Convenzione quadro delle Nazioni Unite sui cambiamenti climatici (UNFCCC) è considerata il fulcro della politica internazionale sul clima ed è il regolamento vincolante sulla protezione del clima secondo il diritto internazionale. È stata adottata a New York nel 1992 e firmata dalla maggior parte dei paesi alla Conferenza delle Nazioni Unite sull'ambiente e lo sviluppo (UNCED) a Rio de Janeiro nello stesso anno. Il suo obiettivo principale è quello di prevenire pericolose alterazioni del sistema climatico a causa dell'attività umana. La Convenzione quadro è accompagnata da un nuovo principio della comunità internazionale secondo il quale si deve rispondere a una minaccia così massiccia per l'ambiente globale anche senza una conoscenza precisa della sua effettiva portata finale. La Conferenza di Rio ha anche visto l'adozione dell'Agenda 21, che da allora ha formato la base per molte misure di protezione locali.

Le 197 parti della Convenzione quadro (a partire da marzo 2020) si incontrano annualmente nelle conferenze sul clima delle Nazioni Unite. Le più note di queste conferenze sono state a Kyōto, in Giappone, nel 1997, che ha portato al protocollo di Kyoto, a Copenhagen nel 2009, e a Parigi nel 2015. Lì, tutti gli stati firmatari hanno concordato di limitare il riscaldamento globale a ben meno di 2 °C rispetto all'epoca preindustriale. L'obiettivo è di limitarlo a 1,5 °C.

L'obiettivo dei due gradi

Nella politica climatica, un riscaldamento medio di 2 °C rispetto al livello preindustriale è comunemente assunto come il limite da un disturbo tollerabile a uno "pericoloso" del sistema climatico. La paura che oltre i 2 °C il rischio di un cambiamento climatico brusco e irreversibile aumenti bruscamente gioca un ruolo importante qui.

Il Consiglio dell'Unione Europea ha adottato l'obiettivo nel 1996, e il G8 lo ha riconosciuto al vertice del G8 nel luglio 2009. Nello stesso anno, ha trovato la sua strada nel quadro delle Nazioni Unite come parte dell'accordo di Copenaghen ed è stato adottato in forma giuridicamente vincolante dal diritto internazionale nel 2015; l'accordo di Parigi è entrato in vigore nel novembre 2016.

Tuttavia, l'obiettivo sta diventando sempre più lontano: poiché si è già verificato un riscaldamento di 1,1 °C (a partire dal 2019), rimangono solo 0,9 °C. Negli scenari che sono ancora considerati fattibili, le emissioni di gas serra dovrebbero raggiungere il picco già nel 2020 per raggiungere l'obiettivo e poi diminuire rapidamente in seguito. Secondo un rapporto del Programma delle Nazioni Unite per l'ambiente pubblicato nel novembre 2019, non ci sono segnali che le emissioni raggiungeranno il picco nei prossimi anni. Se gli stati firmatari dell'accordo di Parigi dovessero ridurre le loro emissioni come promesso entro il 2016 (→ Contributo nazionale al clima), ciò comporterebbe un riscaldamento globale da 2,6 a 3,1 °C entro il 2100, oltre a un ulteriore aumento della temperatura dopo il 2100. Di conseguenza, un successivo inasprimento degli impegni o un superamento degli obiettivi è imperativo per rispettare il limite dei due gradi.

L'aumento del livello del mare non verrebbe fermato con il limite dei due gradi. Il riscaldamento in alcuni casi molto più forte sulle superfici terrestri porta ulteriori problemi. Aumenti particolarmente forti delle temperature sono attesi sull'Artico. Per esempio, i popoli indigeni hanno dichiarato che l'obiettivo dei due gradi è troppo debole perché distruggerebbe comunque la loro cultura e il loro modo di vivere, sia nelle regioni artiche, sia nei piccoli stati insulari, sia nelle regioni forestali o aride.

Dibattito economico

Nella letteratura delle scienze sociali, vari strumenti politici per ridurre le emissioni di gas serra sono raccomandati e, in alcuni casi, discussi in modo controverso. Nelle analisi economiche, c'è un ampio consenso sul fatto che un prezzo delle emissioni di CO2 che internalizzi il più possibile i danni del cambiamento climatico è uno strumento centrale per una protezione del clima efficace ed efficiente in termini di costi. Un tale prezzo del CO2 può essere realizzato attraverso le tasse, lo scambio di emissioni o una combinazione di entrambi gli strumenti. Alcuni scienziati, come Joachim Weimann, raccomandano lo scambio globale di emissioni come unico strumento sufficiente, poiché è il più efficiente. Altri economisti, come lo scienziato britannico dell'energia Dieter Helm, ritengono che una tassa sul CO_2 sia più adatta perché è più stabile dei prezzi fluttuanti del CO_2 dello scambio di emissioni, che sono troppo difficili da calcolare per le aziende. Altri (per esempio, l'economista politico statunitense Scott Barrett) sostengono che gli standard tecnici imposti dal governo (certe tecnologie di produzione a bassa o zero CO_2 o beni di consumo come le automobili), come nel protocollo di Montreal per proteggere lo strato di ozono, sarebbero molto più facili da implementare politicamente nella politica internazionale che lo scambio globale di emissioni o una tassa sulla CO_2. Anche lo scienziato sociale Anthony Patt ritiene che lo scambio di emissioni sia troppo inefficace nella politica reale, poiché la resistenza politica a prezzi di CO_2 sufficientemente (cioè sufficientemente per la decarbonizzazione) in forte aumento o elevati è troppo grande, soprattutto da parte delle industrie ad alta intensità energetica. Di conseguenza, i prezzi della CO_2 fluttuerebbero solo a un livello basso - come nel caso del commercio di emissioni dell'UE - così che (solo con il commercio di emissioni) gli investimenti futuri a lungo termine e ad alta intensità di capitale in tecnologie senza CO_2 non varrebbero per i potenziali eco-investitori. Invece, essi avrebbero bisogno dell'aspettativa certa che i prezzi della CO_2 aumentino in futuro e rimangano alti, in modo da poter prevalere prevedibilmente contro i concorrenti che operano con tecnologie ad alta intensità di CO_2 sul mercato competitivo. Tuttavia, il sistema politico non può impegnarsi in modo affidabile a un prezzo della CO_2 elevato e in aumento in futuro, poiché tali decisioni politiche sono o sarebbero sempre reversibili in una democrazia (ad esempio, in Australia, una tassa sulla CO2 è stata prima introdotta e poi abolita da un nuovo governo conservatore dopo due anni). Questo è anche chiamato il "problema dell'impegno" della politica climatica.

Protezione del clima

I requisiti politici per la protezione del clima devono essere implementati attraverso misure appropriate. Dal punto di vista tecnico, ci sono un gran numero di opzioni per ridurre le emissioni di gas serra che possono essere utilizzate per attuare la transizione energetica. Uno studio pubblicato nel 2004 ha concluso che una protezione efficace del clima potrebbe già essere raggiunta con le risorse disponibili all'epoca.

Mentre in passato il costo delle tecnologie di protezione del clima, come le energie rinnovabili, era significativamente più alto di quello delle tecnologie convenzionali, ora i costi di protezione del clima sono scesi notevolmente a causa del rapido calo dei prezzi. Nel 2014, l'IPCC ha messo il costo del raggiungimento dell'obiettivo dei due gradi allo 0,06% del tasso di crescita annuale dei consumi. Prima si riducono le emissioni di gas serra, più bassi sono i costi della protezione del clima.

La maggior parte degli studi recenti presuppone che un sistema di energia rinnovabile possa fornire energia a costi comparabili con un sistema di energia convenzionale. Allo stesso tempo, la protezione del clima avrebbe forti effetti collaterali economici positivi attraverso l'evitamento dei danni climatici conseguenti e l'inquinamento atmosferico evitato dai combustibili fossili. L'eliminazione graduale del carbone è considerata un'importante misura singola per raggiungere l'obiettivo dei due gradi, poiché permette di utilizzare nel modo più efficiente possibile lo scarso budget rimanente di emissioni di anidride carbonica. Con più di 10 miliardi di tonnellate di emissioni di CO2 nel 2018, le centrali a carbone causano circa il 30% delle emissioni totali di anidride carbonica legate all'energia, pari a circa 33 miliardi di tonnellate.

Nel suo rapporto speciale 1,5 °C Global Warming, l'IPCC elenca i seguenti criteri per poter ancora raggiungere l'obiettivo di 1,5 gradi:

- Emissioni nette zero di anidride carbonica entro il 2050 al più tardi.
- forte riduzione di altri gas a effetto serra, specialmente il metano
- Realizzazione di risparmi energetici
- Decarbonizzazione del settore energetico e altri combustibili
- Elettrificazione del consumo finale di energia (una forma di accoppiamento settoriale).
- Forte riduzione delle emissioni di gas serra dall'agricoltura
- Uso di una forma di rimozione del biossido di carbonio

Possibilità tecniche e individuali

Energie rinnovabili

La conversione del sistema energetico da fonti fossili a fonti rinnovabili, la cosiddetta svolta energetica, è vista come un'altra componente indispensabile di un'efficace politica di protezione del clima. I potenziali globali sono presentati nel rapporto IPCC. A differenza delle fonti energetiche fossili, l'uso delle energie rinnovabili, con l'eccezione della bioenergia, non emette anidride carbonica ed è anche in gran parte CO_2-neutrale. L'uso delle energie rinnovabili offre un grande potenziale sia ecologico che economico, soprattutto perché evita in gran parte i danni conseguenti associati ad altre forme di energia, che causano elevate perdite di benessere economico come cosiddetti costi esterni.

In linea di principio, si può affermare che le energie rinnovabili hanno un migliore bilancio ambientale rispetto alle forme convenzionali di utilizzo dell'energia. Anche se il fabbisogno di materiale per queste tecnologie è maggiore rispetto alla costruzione di centrali termiche, l'impatto ambientale causato dal maggiore fabbisogno di materiale è basso rispetto alle emissioni dirette legate al combustibile delle centrali elettriche a combustibile fossile. La conversione dell'approvvigionamento energetico in un sistema di energia rinnovabile può quindi ridurre l'impatto ambientale causato dal settore energetico. La stragrande maggioranza degli studi condotti sull'argomento conclude che la conversione completa dell'approvvigionamento energetico in energie rinnovabili è sia tecnicamente possibile che economicamente fattibile.

Migliorare l'efficienza energetica

Migliorare l'efficienza energetica è un elemento chiave per raggiungere obiettivi ambiziosi di protezione del clima, mantenendo bassi i costi energetici. Se l'efficienza energetica aumenta, un servizio o un prodotto può essere offerto o fabbricato con un minore consumo di energia rispetto a prima. Questo significa, per esempio, che è necessario meno riscaldamento in un appartamento, un frigorifero richiede meno elettricità, o un'automobile ha un consumo di benzina inferiore. In tutti questi casi, l'aumento dell'efficienza porta alla diminuzione del consumo di energia e quindi alla riduzione delle emissioni di gas serra. McKinsey ha anche calcolato che numerose misure di efficienza energetica producono contemporaneamente un guadagno economico.

In un bilancio globale, tuttavia, deve essere preso in considerazione anche l'effetto di rimbalzo, il che significa che una maggiore efficienza energetica o delle risorse è parzialmente compensata da un aumento della produzione di prodotti o servizi. Si presume che i risparmi energetici derivanti dalle misure di efficienza energetica siano mitigati dall'effetto rebound in media del 10%, con valori da studi individuali che variano tra lo 0 e il 30%.

Rimozione del biossido di carbonio

La rimozione dell'anidride carbonica è la rimozione dell'anidride carbonica dall'atmosfera al fine di ridurre artificialmente l'aumento del forcing radiativo. La rimozione dell'anidride carbonica può essere ottenuta attraverso l'uso di tecniche di rimozione di CO2 ("emissione negativa"). Queste includono:

- Bioenergia con cattura e stoccaggio del carbonio, BECCS (cattura dell'anidride carbonica dalla biomassa e successivo stoccaggio nel suolo).
- Direct air capture Capture and Storage, DACCS (cattura dell'anidride carbonica dall'aria e successivo stoccaggio nel terreno).
- Esposizione artificiale per legare l'anidride carbonica nella roccia
- Afforestazione e riforestazione delle foreste per sequestrare l'anidride carbonica nella biomassa.
- Costruzione in legno
- Aumentando artificialmente il contenuto di anidride carbonica degli oceani nella biomassa vegetale o aumentando l'alcalinità.
- Aumentare il contenuto di carbonio nel suolo cambiando le pratiche di gestione della terra
- Produzione di biochar per lo stoccaggio di carbonio nel suolo

La maggior parte dei modelli conclude che le emissioni negative sono necessarie per limitare il riscaldamento globale a 1,5 o 2 gradi. Allo stesso tempo, secondo una revisione pubblicata nel 2016, è considerato molto rischioso puntare all'uso di tecnologie a emissioni negative fin dall'inizio, poiché non ci sono ancora tali tecnologie in grado di raggiungere l'obiettivo dei due gradi senza significativi impatti negativi sulla terra, l'energia, l'acqua o l'uso dei nutrienti, o sull'albedo. A causa di queste limitazioni, non sono un sostituto per le riduzioni immediate e rapide delle emissioni di gas serra di oggi attraverso la decarbonizzazione dell'economia, ha detto.

Geoingegneria

La *geoingegneria* coinvolge interventi tecnici precedentemente inutilizzati nell'ambiente per mitigare il riscaldamento, tra cui la fertilizzazione di ferro nell'oceano per stimolare la crescita delle alghe e quindi sequestrare la CO_2, e l'introduzione di aerosol di solfato nella stratosfera per riflettere la radiazione solare. Entrambe le misure sono ora considerate inutili.

Aumentare la produttività delle risorse

L'energia può essere risparmiata anche aumentando la produttività delle risorse (vedi anche il fattore 4), estendendo la durata di vita dei prodotti e riducendo l'obsolescenza, per esempio nei beni di consumo o negli imballaggi.

Protezione del clima attraverso il cambiamento di comportamento

Contributi personali

Le opportunità individuali per contribuire alla protezione del clima consistono in cambiamenti comportamentali e consumo modificato con risparmio energetico. Le numerose misure per la riduzione di CO_2 includono:

- l'uso di mezzi di trasporto ecologici, specialmente il trasporto pubblico (vedi anche il confronto dei mezzi di trasporto),
- l'uso di attrezzature più efficienti dal punto di vista energetico (vedi anche l'etichetta energetica),
- la regolazione ottimale e, se necessario, il retrofit dei sistemi di riscaldamento e dei motori termici (motori);
- la riduzione dell'energia di riscaldamento (per esempio installando nuove finestre, l'isolamento termico delle pareti esterne, la ventilazione d'urto invece della ventilazione continua),
- l'uso di sistemi di riscaldamento a pompa di calore, energia termica solare, energia geotermica e legno al posto dei combustibili fossili per riscaldare gli edifici e fornire acqua calda,
- l'installazione di un impianto fotovoltaico,
- l'acquisto o l'uso di mini-cogenerazione sotto forma di unità di cogenerazione (un motore genera elettricità, il calore residuo viene utilizzato per il riscaldamento).

Una riduzione particolarmente alta dei gas serra si ottiene non mangiando carne, usando il riscaldamento moderno e l'isolamento, e volando meno una volta all'anno. Ci sono spesso idee sbagliate nella popolazione generale su ciò che aiuta molto e ciò che aiuta poco contro il cambiamento climatico.

Nutrizione sostenibile

Secondo le stime dell'IPCC (2007), dal 10 al 12% delle emissioni globali di gas serra sono attribuibili all'agricoltura. Tuttavia, questa cifra non tiene conto, tra l'altro, delle conseguenze della deforestazione di grandi aree (comprese le foreste pluviali) per scopi agricoli. Uno studio commissionato da Greenpeace ipotizza quindi una quota agricola dal 17 al 32% dei gas serra prodotti dall'uomo. Nel Regno Unito, circa il 19 per cento delle emissioni di gas serra sono legate al cibo (agricoltura, lavorazione, trasporto, vendita al dettaglio, consumo, rifiuti). Circa il 50 per cento di queste sono attribuite alla carne e ai prodotti lattiero-caseari, secondo queste stime. Il Food Climate Research Network raccomanda quindi, tra le altre cose, misure di mercato e normative per una produzione o un consumo di cibo più sostenibile (ad esempio, prezzi/tasse basati sulle emissioni di CO_2). Il passaggio a diete a base vegetale può compensare tra i 9 e i 16 anni di emissioni passate di CO_2 da combustibili fossili, secondo uno studio, in quattro tipi di paesi.

Secondo un modello di simulazione, se il consumo globale di carne fosse ridotto a meno di un terzo entro 40 anni dal 2015, le emissioni di protossido di azoto e metano dall'agricoltura scenderebbero sotto i livelli del 1995.

Il consumo di cibo regionale è spesso raccomandato per ridurre le emissioni legate al cibo. Nel 2019, il Potsdam Institute for Climate Impact Research ha dimostrato in uno studio che l'ottimizzazione della produzione locale potrebbe ridurre di un fattore dieci le emissioni mondiali dovute al trasporto di cibo. Tuttavia, secondo una valutazione del ciclo di vita statunitense di Weber e Matthews (2008), il contributo del trasporto alle emissioni dell'approvvigionamento alimentare negli Stati Uniti è solo dell'11%. La quota principale (83%) è generata durante la produzione, motivo per cui il tipo di cibo consumato ha la maggiore influenza. Il consumo di carne rossa è visto come particolarmente critico per quanto riguarda la produzione di gas serra; invece, si dovrebbe preferire il pollame, il pesce, le uova o le verdure.

Strategie economiche

Oltre a stabilire il corso politico per una svolta energetica e un'eliminazione graduale del carbone, anche le misure economiche fanno parte del repertorio delle misure di protezione del clima, ad esempio il ritiro degli investitori come le compagnie di assicurazione, gli istituti di credito e le banche dagli investimenti finanziari nelle industrie e nelle aziende a base fossile ("disinvestimento"). Gli investimenti possono invece essere reindirizzati verso settori sostenibili dell'economia, come le energie rinnovabili. Per esempio, al *One Planet Summit di* Parigi all'inizio di dicembre 2017, la Banca Mondiale ha annunciato che non finanzierà più progetti di sviluppo di petrolio e gas dal 2019. Il gruppo assicurativo *Axa ha annunciato* lì che non assicurerà più la costruzione di nuove centrali a carbone in futuro e che investirà dodici miliardi di euro in progetti "verdi" entro il 2020. Organizzazioni per la protezione dell'ambiente come *Urgewald stanno concentrando* qui le loro attività.

Strategie di adattamento

Parallelamente alla protezione preventiva del clima sotto forma di strategie di prevenzione, sono necessari adattamenti agli impatti del cambiamento climatico causato dall'uomo che si sono già verificati o che possono essere previsti in futuro: Le conseguenze negative associate al riscaldamento globale devono essere mitigate il più possibile e rese il più possibile compatibili; allo stesso tempo, viene esaminato l'uso delle conseguenze positive possibili a livello regionale. La capacità di adattamento varia a seconda di una vasta gamma di parametri, comprese le conoscenze esistenti sui cambiamenti climatici locali o, per esempio, il livello di sviluppo e le prestazioni economiche di un paese o di una società. In generale, specialmente in termini socio-economici, la capacità di adattamento è fortemente modellata dalla vulnerabilità. Il *Gruppo intergovernativo sui cambiamenti climatici* (IPCC) elenca i "paesi in via di sviluppo" meno avanzati tra i paesi e le regioni con una vulnerabilità particolarmente elevata.

L'adattamento alle conseguenze del riscaldamento globale ha soprattutto effetti a breve e medio termine. Tuttavia, poiché la capacità di adattamento delle società è limitata e un forte riscaldamento globale può annullare le misure di adattamento già prese, l'adattamento non può essere un'alternativa alla protezione preventiva del clima, ma solo un suo complemento.

Le potenziali misure di adattamento vanno da misure puramente tecnologiche (ad esempio, la protezione delle coste) a cambiamenti comportamentali (ad esempio, il comportamento alimentare, la scelta delle destinazioni di vacanza) e decisioni manageriali (ad esempio, cambiamenti nella gestione del territorio) a decisioni politiche (ad esempio, regolamenti di pianificazione, obiettivi di riduzione delle emissioni). Dato che il cambiamento climatico ha un impatto su molti settori di un'economia, integrare l'adattamento, per esempio, nei piani di sviluppo nazionali, nelle strategie di riduzione della povertà o nei processi di pianificazione settoriale è una sfida fondamentale; molti paesi hanno quindi sviluppato strategie di adattamento.

Nella Convenzione quadro delle Nazioni Unite sui cambiamenti climatici (UNFCCC), adottata nel 1992 e da allora ratificata da 192 paesi, la questione dell'adattamento non ha avuto quasi nessun ruolo rispetto alla prevenzione dei cambiamenti climatici pericolosi (articolo 2 dell'UNFCCC). Lo stesso vale per il Protocollo di Kyoto, che è stato concordato nel 1997 ed è entrato in vigore nel 2005, ma lì è stata presa la decisione di principio di istituire un fondo speciale di adattamento delle Nazioni Unite ("Adaptation Fund") per aiutare i paesi in via di sviluppo particolarmente colpiti a finanziare le misure di adattamento. Anche il Fondo verde per il clima delle Nazioni Unite, che è stato istituito durante la conferenza sul clima del 2010 a Cancún, è destinato a contribuire a questo. Le nazioni industrializzate forniscono denaro al fondo in modo che i paesi in via di sviluppo possano adattarsi meglio al cambiamento climatico.

Al più tardi con il terzo rapporto di valutazione dell'IPCC, pubblicato nel 2001, la comprensione della necessità di strategie di adattamento è aumentata. Per quanto riguarda il supporto scientifico ai governi, il Programma di lavoro di Nairobi sull'adattamento e la vulnerabilità adottato nel 2006 è stato un passo particolarmente importante.

Il discorso di Greta Thunberg alla conferenza ONU sui cambiamenti climatici dell'11 dicembre 2019

"Il mio messaggio è che ti terremo d'occhio.

Tutto questo è sbagliato. Non dovrei essere qui. Dovrei tornare a scuola dall'altra parte dell'oceano. Eppure, venite tutti da noi giovani per avere speranza. Come osi!

Avete rubato i miei sogni e la mia infanzia con le vostre parole vuote, eppure io sono uno dei fortunati. La gente soffre. La gente sta morendo. Interi ecosistemi stanno collassando. Siamo all'inizio di un'estinzione di massa e tutto ciò di cui sapete parlare è il denaro e le favole di un'eterna crescita economica. Come vi permettete!

Per più di 30 anni la scienza è stata chiarissima. Come osate continuare a distogliere lo sguardo e venire qui a dire che state facendo abbastanza quando la politica e le soluzioni necessarie non sono ancora in vista.

Dite che ci sentite e che capite l'urgenza, ma per quanto io sia triste e arrabbiato, non voglio crederci. Perché se tu capissi davvero la situazione e continuassi a non agire, allora saresti il male e questo mi rifiuto di crederlo.

L'idea popolare di dimezzare le nostre emissioni in 10 anni ci dà solo il 50% di possibilità di rimanere sotto 1,5 gradi e il rischio di innescare reazioni a catena irreversibili al di fuori del controllo umano.

Il cinquanta per cento può essere accettabile per voi, ma quei numeri non includono i punti di ribaltamento, la maggior parte dei cicli di feedback, il riscaldamento aggiuntivo nascosto dall'inquinamento atmosferico tossico o gli aspetti di equità e giustizia climatica.

Contano anche sul fatto che la mia generazione succhi centinaia di miliardi di tonnellate di CO2 dall'aria con tecnologie che esistono a malapena.

Quindi un rischio del 50% non è semplicemente accettabile per noi, noi che dobbiamo vivere con le conseguenze.

Come osate pretendere che questo possa essere risolto solo con il business as usual e alcune soluzioni tecniche? Con i livelli di emissioni di oggi, il budget rimanente di CO2 sarà completamente esaurito in meno di otto anni e mezzo.

Non ci saranno soluzioni o piani presentati in linea con queste cifre qui oggi, perché questi numeri sono troppo scomodi e voi non siete ancora abbastanza maturi per dire le cose come stanno.

Ci state deludendo, ma i giovani cominciano a capire il vostro tradimento. Gli occhi di tutte le generazioni future sono su di voi e se scegliete di deluderci, vi dico: Non vi perdoneremo mai.

Non vi permetteremo di farla franca. Proprio qui, proprio ora è dove tracciamo la linea. Il mondo si sta svegliando e il cambiamento sta arrivando, che vi piaccia o no.

Grazie".

Goditi tutti i nostri libri gratis...

Biografie interessanti, introduzioni accattivanti e altro ancora.

Unisciti all'esclusivo club dei recensori della United Library!

Riceverai un nuovo libro nella tua casella di posta ogni venerdì.

Unisciti a noi oggi, vai su: https://campsite.bio/unitedlibrary

LIBRI DI UNITED LIBRARY

Kamala Harris: la biografia

Barack Obama: La biografia

Joe Biden: la biografia

Adolf Hitler: La biografia

Albert Einstein: La biografia

Aristotele: La biografia

Donald Trump: La biografia

Marco Aurelio: La biografia

Napoleone Bonaparte: La biografia

Nikola Tesla: La biografia

Papa Benedetto: la biografia

Papa Francesco: La biografia

Bitcoin: un'introduzione alla principale criptovaluta del mondo

E ancora...

Vedi tutti i nostri libri pubblicati qui: https://campsite.bio/unitedlibrary

SULLA BIBLIOTECA UNITA

United Library è un piccolo gruppo di scrittori entusiasti. Il nostro obiettivo è sempre quello di pubblicare libri che facciano la differenza, e ci interessa soprattutto sapere se un libro sarà ancora vivo in futuro. United Library è una società indipendente, fondata nel 2010, e ora pubblica circa 50 libri all'anno.

Joseph Bryan - FONDATORE/REGISTA

Amy Patel - ARCHIVISTA E ASSISTENTE ALLA PUBBLICAZIONE

Mary Kim - MANAGER OPERATIVO

Mary Brown - EDITORE E TRADUTTORE

Terry Owen - EDITORE

CPSIA information can be obtained
at www.ICGtesting.com
Printed in the USA
BVHW042006260321
603523BV00012B/1060